AVANT-PROPOS

● *VOUS SOUHAITEZ OBTENIR LE DIPLÔME DEL.*

Grâce à ce livre, vous allez préparer le diplôme du DELF, diplôme
Une démarche simple et claire vous conduira à la réussite.
Les exercices pratiques proposés ont été testés par des apprenant   ﹣différents pays.
Ce livre est conçu pour un usage en classe guidé par l'enseignant ou en autonomie.

● *LE MODE DE PRÉPARATION*

Pour vous préparer efficacement, nous vous proposons une démarche en trois étapes :
- **Repérez vos points forts et vos points faibles**
- **Développez vos compétences**
- **Passez l'examen**

Dans chacune des trois parties, le travail a été organisé en quatre sections distinctes qui correspondent
aux quatre grandes compétences testées le jour de l'examen :
- **Compréhension de l'oral**
- **Compréhension des écrits**
- **Production écrite**
- **Production orale**

Repérez VOS POINTS FORTS ET VOS POINTS FAIBLES

Une évaluation de départ pour faire le point sur votre niveau, compétence par compétence,
et repérer vos points forts et vos points faibles grâce à une série d'activités ciblées.
Chaque activité est notée et permet de travailler un objectif communicatif précis.
Une fiche *Bilan* vous permet de comptabiliser les points obtenus et d'évaluer vos compétences.

Développez VOS COMPÉTENCES

Pour bien vous préparer à l'examen du DELF A2, cette partie est constituée d'une série de scénarios
dont vous êtes l'acteur principal. Toutes les activités sont en contexte pour que tous les exercices
soient réalisés en situation. Vous vous investissez ainsi dans la résolution de problèmes de la vie
quotidienne. Vous pouvez travailler seul, avec d'autres apprenants ou avec votre enseignant.

Passez L'EXAMEN

Deux sujets d'examen complets pour vous évaluer et vous entraîner à passer les épreuves du DELF A2.
L'épreuve de production orale est accompagnée de conseils de préparation et d'une correction guidée.

Pour connaître les critères d'évaluation des épreuves, vous pouvez vous reporter aux grilles de la page 8.

Bien informé, bien préparé, vous réussirez !

● *LE DIPLÔME DU DELF A2*

Vous voulez valider votre niveau de français : le DELF (diplôme d'études en langue française) vous le permet, c'est un diplôme internationalement reconnu. Il est délivré par le ministère de l'Éducation nationale français.

Six niveaux en langue ont été définis par le Conseil de l'Europe, six diplômes leur correspondent pour la langue française : DELF A1, DELF A2, DELF B1, DELF B2, DALF C1, DALF C2.

Au fur et à mesure de vos progrès, vous pourrez passer le diplôme correspondant à votre niveau. Vous pourrez aussi vous présenter directement au diplôme de votre choix.

Au niveau DALF C2, vous serez parfaitement francophone !

● *L'EXAMEN DU DELF A2*

L'examen comporte une épreuve pour chacune des quatre compétences : compréhension de l'oral (écouter), compréhension des écrits (lire), production écrite (écrire), production orale (parler).

D'abord, vous passez les trois épreuves collectives (un jour) dans cet ordre :

La compréhension de l'oral : vous écoutez les enregistrements (2 écoutes) et vous complétez les questionnaires (25 minutes).

La compréhension des écrits : vous lisez des documents courts (panneaux, publicités, prospectus, recettes de cuisine, courts articles de journaux, lettres standard...) et vous complétez les questionnaires (30 minutes).

La production écrite : vous rédigez deux courts textes (lettre amicale ou message), l'un pour décrire un événement ou des expériences personnelles, l'autre pour inviter, remercier, vous excuser, informer, féliciter... (45 minutes).

Ensuite, vous passez l'épreuve individuelle (un autre jour) : **la production orale.**

La préparation : l'examinateur vous propose deux sujets (vous en choisissez un) pour le monologue suivi et deux autres sujets (vous en choisissez un) pour le dialogue simulé (exercice en interaction). Vous préparez pendant 10 minutes le monologue suivi à partir du premier sujet choisi et le dialogue simulé (exercice en interaction) à partir du deuxième sujet choisi.

La première partie (l'entretien dirigé) : vous saluez votre examinateur, vous vous présentez (vous, votre famille, votre profession, vos goûts...) puis vous répondez aux questions de l'examinateur (1 minute 30 environ).

La deuxième partie (le monologue suivi) : vous vous exprimez sur le sujet choisi (2 minutes environ).

La troisième partie (le dialogue simulé ou exercice en interaction) : vous dialoguez avec l'examinateur afin de résoudre une situation de la vie quotidienne ou vous coopérez avec lui pour accomplir une tâche en commun. Vous saluez et utilisez des formules de politesse (3 ou 4 minutes environ).

LES ÉPREUVES DU DELF A2

*Niveau A2 du Cadre européen commun
de référence pour les langues*

NATURE DES ÉPREUVES	DURÉE	NOTE SUR
COMPRÉHENSION DE L'ORAL Réponse à des questionnaires de compréhension portant sur trois ou quatre courts documents enregistrés ayant trait à des situations de la vie quotidienne (2 écoutes). Durée maximale des documents : 5 minutes.	25 minutes environ	..... / 25
COMPRÉHENSION DES ÉCRITS Réponse à des questionnaires de compréhension portant sur trois ou quatre courts documents écrits ayant trait à des situations de la vie quotidienne.	30 minutes	..... / 25
PRODUCTION ÉCRITE Rédaction de deux brèves productions écrites (lettre amicale ou message) : • décrire un événement ou des expériences personnelles ; • écrire pour inviter, remercier, s'excuser, demander, informer, féliciter...	45 minutes	..... / 25
PRODUCTION ORALE Épreuve en trois parties : • l'entretien dirigé, • le monologue suivi, • le dialogue simulé (exercice en interaction).	6 à 8 minutes Préparation : 10 minutes	..... / 25

NOTE TOTALE : ..... / 100

• **Durée totale des épreuves collectives : 1 h 40**
• **Seuil de réussite pour obtenir le diplôme : 50 / 100**
• **Note minimale requise par épreuve : 5 / 25**

Compréhension

BILAN

Comptez vos points

Corrigez les exercices 1 à 6 à l'aide des corrigés p. 120.

Commencez par compter vos points pour chaque exercice, puis calculez votre total de points.

Exercice n°	1	2	3	4	5	6	Total des bonnes réponses
Nombre de bonnes réponses	... / 12	... / 6	... / 6	... / 12	... / 9	... / 9	...... / 54

Si vous avez au moins **32** bonnes réponses (sur **54**), vous êtes proche du niveau A2 en compréhension de l'oral.

Si vous avez entre **16** et **31** points, vous devez encore vous familiariser avec le français. Écoutez la radio, la télé, réécoutez plusieurs fois les enregistrements des exercices.

Si vous avez moins de **16** points, vous avez encore du travail devant vous. Il vous faut « écouter » du français tout le temps : écouter des chansons françaises à la radio, regarder des films en V.O. française (sous-titrés dans votre langue ou en français) et regarder la télévision en français. Ainsi, vous progresserez rapidement.

Remplissez le portfolio

Remplissez seul le portfolio ou faites-le remplir par votre professeur :

– faites le bilan de ce que vous savez faire maintenant ;

– déterminez les objectifs à atteindre.

Pour remplir le portfolio, utilisez les signes suivants :

– dans les colonnes BILAN : x = Je peux faire cela. / xx = Je peux faire cela bien et facilement ;

– dans les colonnes OBJECTIFS : ! = Ceci est un objectif assez important pour moi. / !! = Ceci est un objectif très important (prioritaire) pour moi.

MES COMPÉTENCES EN COMPRÉHENSION DE L'ORAL	BILAN Ce que je sais faire maintenant		OBJECTIFS Ce qu'il me reste à apprendre	
	À mon avis	Selon mon professeur	À mon avis	Selon mon professeur
Je peux comprendre les points essentiels d'une annonce. → Voir les résultats de l'exercice 1.				
Je peux comprendre un bref message sur un répondeur. → Voir les résultats de l'exercice 2.				
Je peux comprendre des consignes et des instructions simples, par exemple pour aller d'un point à un autre. → Voir les résultats de l'exercice 3.				
Je peux généralement identifier le sujet d'une discussion qui se déroule en ma présence si les gens parlent lentement. → Voir les résultats de l'exercice 4.				
Je peux comprendre de courts enregistrements radio-phoniques à condition que la personne parle lentement. → Voir les résultats de l'exercice 5.				
Je peux comprendre les informations principales d'un reportage entendu à la radio. → Voir les résultats de l'exercice 6.				

Je peux lire des textes courts très simples. Je peux trouver une information prévisible dans des documents courants comme les petites publicités, les prospectus, les menus et les horaires. Je peux comprendre des lettres personnelles courtes et simples.

Comprendre une lettre d'excuses

... / 10

Compétence travaillée

Je peux comprendre une lettre d'excuses officielle.

1 Vous recevez une lettre de la SNCF* dans votre boîte aux lettres. Lisez-la.

Ligne Paris-Rouen-Le Havre.

Nous vous devons des explications.

Chers clients,

Depuis plusieurs semaines, la qualité de notre offre de transport n'est pas à la hauteur de vos attentes. La SNCF vous présente ses excuses pour les difficultés que vous rencontrez. Nous avons été confrontés à une accumulation d'événements qui ont dégradé la circulation et la régularité des trains. Outre les mouvements sociaux nationaux et locaux, nous avons subi d'autres éléments perturbateurs (chute d'arbres sur les voies lors de la tempête).

Nous mettons tout en œuvre pour que la régularité du trafic des trains Corail Intercités de votre ligne s'améliore. Nous vous remercions de la confiance que vous voudrez bien nous accorder.

Pour avoir des informations sur le trafic : www.infolignes.com

---

1. Identifiez le thème du document. *2 points*

a. De quel mode de transport la SNCF est-elle responsable ? ....

b. Quel trajet cette lettre concerne-t-elle ? ....

2. Dans cette lettre, la SNCF présente ses excuses : *1 point*

a. ❑ aux membres de son personnel.

b. ❑ aux passagers d'une ligne particulière.

3. La SNCF expose : *1 point*

a. ❑ les raisons des problèmes.

b. ❑ les solutions des problèmes.

4. Les problèmes concernent : *4 points*

	Vrai	Faux
a. le trafic ferroviaire.	❑	❑
b. le confort dans les trains.	❑	❑
c. la ponctualité et l'exactitude des trains.	❑	❑
d. la vitesse des trains.	❑	❑

---

* SNCF : Société Nationale des Chemins de Fer.

5. Quelle est l'origine des problèmes ? Cochez les bonnes réponses.   *2 points*

a. ☐

b. ☐

c. ☐

d. ☐

Comprendre des panneaux

. . . / 10

pétence travaillée

ux comprendre
anneaux courants.

2 Vous allez au concert d'un groupe que vous aimez beaucoup.
À votre arrivée dans la salle de spectacles, on vous remet
le document suivant.

1. Donnez les infinitifs qui correspondent aux interdictions a, b, c et d. *4 points*

a. . . . .   c. . . . .

b. . . . .   d. . . . .

2. Selon la consigne, je dois...   *1 point*

❑ Éteindre mon téléphone portable.

❑ Venir au concert sans mon téléphone portable.

❑ Laisser mon téléphone portable allumé.

3. Associez les objets interdits dans la salle aux images correspondantes.

5 points

1. Couteau   **2.** Bombe   **3.** Canette   **4.** Casque   **5.** Grandes
                    lacrymogène   bouteilles

a.   b.   c.   d.   e.

Comprendre un document officiel

. . . / 11

3 Vous avez envie de faire des études en France et vous prenez connaissance des conditions d'un concours d'accès à une formation qui vous intéresse particulièrement.

CONCOURS D'ÉDUCATEUR SPECIALISÉ

• L'éducateur spécialisé s'occupe de l'éducation et de la vie quotidienne d'enfants, d'adolescents ou du soutien d'adultes présentant des déficiences physiques, psychiques ou des troubles du comportement. L'éducateur spécialisé doit manifester un intérêt pour les problèmes sociaux et humains, doit être capable de travailler en équipe et doit avoir le sens des responsabilités.

• La durée de la formation est de trois ans. Elle est sanctionnée par un diplôme d'État délivré par le ministère de l'Éducation nationale.

• Pour se présenter, il faut être âgé de 17 ans au moins au 31 décembre de l'année du concours. Il faut être titulaire du baccalauréat ou d'un diplôme étranger équivalent.

• Les épreuves comprennent des tests psychologiques, des questionnaires portant sur des sujets d'actualité et des entretiens oraux individuels.

---

1. Associez un titre à chacun des paragraphes.   *4 points*

Paragraphe 1 •   • **a.** Nature des épreuves

Paragraphe 2 •   • **b.** Conditions pour passer le concours

Paragraphe 3 •   • **c.** Caractéristiques de la formation

Paragraphe 4 •   • **d.** Nature de la profession et qualités requises

2. Vous n'êtes pas de nationalité française : quelle est l'information
qui vous concerne plus particulièrement ?   *1 point*

. . . .

3. Pour se présenter à ce concours et exercer cette profession, il faut : *3 points*

	Vrai	Faux
a. être capable de travailler seul.	❏	❏

Justification : . . . .

b. être disponible pendant trois ans pour la formation.	❏	❏

Justification : . . . .

c. avoir au moins 18 ans l'année du concours.	❏	❏

Justification : . . . .

4. Chassez les intrus : cochez les épreuves qui ne font pas partie
de ce concours.   *3 points*

❏ Tests psychologiques   ❏ Dissertation

❏ Entretien oral individuel   ❏ Questionnaires

❏ Exposé public   ❏ Test de langue étrangère

Comprendre un fait divers

. . . / 12

étence travaillée

x comprendre
nents essentiels
t divers.

4 Lisez ce fait divers.

> Le Pays basque se remet peu à peu des intempéries. Une centaine de pompiers poursuivaient samedi matin dans plusieurs villages des opérations de pompage et de nettoyage des habitations victimes d'inondations.
> Trois communes ont été touchées par de très fortes précipitations et les routes, complètement inondées, ont pu être réouvertes à la circulation dans la matinée.
>
> ### *PAS D'EAU COURANTE AVANT MARDI OU MERCREDI*
>
> L'électricité a été rétablie mais 2 000 foyers étaient toujours privés de téléphone fixe durant le week-end. Des téléphones mobiles ont été mis à la disposition des personnes en situation d'isolement (personnes âgées ou malades) par la mairie d'Ascain.
>
> Les habitants des villages touchés seront par ailleurs privés d'eau potable jusqu'à mardi ou mercredi, selon le service de protection civile de la préfecture. D'ici là, des citernes distribuent aux habitants de l'eau potable.
>
> D'après LCI.fr

1. Choisissez le dessin qui illustre le fait divers.   *1 point*

a. ☐   b. ☐   c. ☐

2. Que s'est-il passé exactement ?   *4 points*

a. Lieu du fait divers : ....

b. Fait divers : ....

c. Problème non réglé n° 1 : ....

d. Problème non réglé n° 2 : ....

3. Dites si ces affirmations sont vraies ou fausses.   *6 points*

	Vrai	Faux
a. Des citernes distribueront de l'eau potable.	☐	☐
b. Il n'y a pas d'intervention des pompiers.	☐	☐
c. Les téléphones fixes ont été remis en service pendant le week-end.	☐	☐
d. Il n'y aura pas d'eau courante pendant quelques jours.	☐	☐
e. Des téléphones mobiles seront distribués à toute la population.	☐	☐
f. Il a été nécessaire d'effectuer des opérations de pompage dans certaines maisons.	☐	☐

4. À qui sont destinés les téléphones mobiles ?   *1 point*

☐ aux pompiers

☐ aux secouristes

☐ aux personnes âgées ou malades

Comprendre un mode d'emploi

... / 14

5 Voici un document qui vient d'être affiché dans l'immeuble où vous habitez.

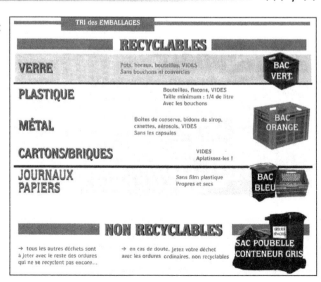

1. Quel est le thème de ce mode d'emploi ?   *1 point*

....

2. Quelles sont les deux parties de ce mode d'emploi ?   *2 points*

a. ....

b. ....

3. Voici quelques déchets que vous allez trier selon les indications
du mode d'emploi.   *8 points*

  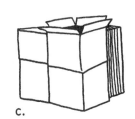 

a.   b.   c.   d.

e.   f.   g.   h.

4. Reliez les mots et leur définition.   *3 points*

Emballages •   • **a.** Restes, qui se jettent à la poubelle.

Recyclage •   • **b.** Qui servent à envelopper, conditionner.

Déchets, ordures •   • **c.** Récupération, reconditionnement.

Comprendre un règlement

. . . / 14

6 Vous souhaitez participer à la course cycliste Caen-Argentan. Vous prenez connaissance de son règlement.

RÈGLEMENT

Article 1 : le Caen-Argentan est une course cycliste organisée par les mairies, sous l'égide de la Fédération française de Cyclisme. Il est ouvert à tous les cyclistes âgés de plus de 18 ans au jour de l'épreuve.

Article 2 : cette course est ouverte aux femmes et aux hommes (handicapés et valides).

Article 3 : les participants sont tenus de respecter le code de la route et les interdictions en vigueur. Les organisateurs ne peuvent être tenus responsables en cas d'accident. Chaque concurrent doit être assuré contre tout accident qu'il pourrait créer.

Article 4 : le parcours sera fléché. Des ravitaillements* sont assurés par l'organisation.

Article 5 : les concurrents non licenciés dans une fédération cycliste doivent être en possession d'un certificat médical de bonne santé conformément à la législation.

Article 6 : le port du casque rigide est obligatoire durant toute l'épreuve.

---

* Ravitaillement : aliments, provisions.

---

1. Associez un titre à chaque article du règlement. *6 points*

Article 1 •   • **a.** Organisation de la course

Article 2 •   • **b.** Présentation de la course

Article 3 •   • **c.** Participants

Article 4 •   • **d.** Sécurité

Article 5 •   • **e.** Consignes et interdictions

Article 6 •   • **f.** Obligations du cycliste

2. Dites si ces affirmations sont vraies ou fausses et justifiez. *4 points*

	Vrai	Faux
a. Le Caen-Argentan est ouvert aux enfants et aux adolescents.	❏	❏
Justification :		
b. Les organisateurs ne sont pas responsables en cas d'accident.	❏	❏
Justification :		
c. Les participants doivent apporter nourriture et boissons.	❏	❏
Justification :		
d. Une mesure de sécurité est obligatoire sur le parcours.	❏	❏
Justification :		

3. Cochez les éléments que tous les participants (licenciés et non licenciés) doivent avoir en leur possession le jour de la course. *4 points*

a. ❏

b. ❏

CERTIFICAT MÉDICAL

c. ❏

d. ❏

LICENCE SPORTIVE

e. ❏

f. ❏

Comptez vos points

Corrigez les exercices 1 à 6 à l'aide des corrigés p. 120.
Commencez par compter vos points pour chaque exercice, puis calculez
votre total de points.

Exercices n°	1	2	3	4	5	6	Total des bonnes réponses
Nombre de bonnes réponses	... / 10	... / 10	... / 11	... / 12	... / 14	... / 14	...... / 71

Si vous avez au moins **42** bonnes réponses (sur **71**), vous êtes proche
du niveau A2 en compréhension des écrits.
Si vous avez entre **21** et **41** points, vous devez encore vous familiariser avec
la lecture de documents écrits les plus divers. Choisissez des documents
variés : publicités, règlements, modes d'emploi, faits divers, lettres officielles
et personnelles.
Si vous avez moins de **21** points, vous avez encore du travail devant vous.
Il vous faut « lire » du français tout le temps : entraînez-vous chaque fois
que c'est possible. Ainsi, vous progresserez rapidement.

Remplissez le portfolio

Remplissez seul le portfolio ou faites-le remplir par votre professeur :
– faites le bilan de ce que vous savez faire maintenant ;
– déterminez les objectifs à atteindre.

Pour remplir le portfolio, utilisez les signes suivants :
– dans les colonnes BILAN : x = Je peux faire cela. / xx = Je peux faire cela
bien et facilement.
– dans les colonnes OBJECTIFS : ! = Ceci est un objectif assez important
pour moi. / !! = Ceci est un objectif très important (prioritaire) pour moi.

MES COMPÉTENCES EN COMPRÉHENSION DES ÉCRITS	BILAN Ce que je sais faire maintenant		OBJECTIFS Ce qu'il me reste à apprendre	
	À mon avis	Selon mon professeur	À mon avis	Selon mon professeur
Je peux comprendre une lettre d'excuses officielle. → *Voir les résultats de l'exercice 1.*				
Je peux comprendre des panneaux courants. → *Voir les résultats de l'exercice 2.*				
Je peux identifier l'information pertinente dans un document officiel. → *Voir les résultats de l'exercice 3.*				
Je peux comprendre les éléments essentiels d'un fait divers. → *Voir les résultats de l'exercice 4.*				
Je peux comprendre le mode d'emploi d'un appareil ou d'un service d'usage courant. → *Voir les résultats de l'exercice 5.*				
Je peux comprendre l'essentiel d'un règlement simple. → *Voir les résultats de l'exercice 6.*				

Je peux écrire des notes et des messages simples et courts.
Je peux écrire une lettre personnelle très simple, par exemple de remerciements.

Répondre à des questions dans un sondage

... / 12

(2 points par question)

Compétence travaillée

Je peux répondre
à un questionnaire en exprimant
mes propres opinions.

1 Le site www.monavis.fr lance une enquête sur de grandes questions de la vie quotidienne. Vous vous exprimez sur tous les sujets et vous justifiez votre opinion avec deux arguments au moins.
Répondez sur une feuille séparée.

> **1.** Les sportifs sont-ils trop payés ?
> **2.** Êtes-vous pour ou contre les lois sur l'interdiction de fumer dans les lieux publics ?
> **3.** Faut-il changer nos habitudes pour sauver la planète ?
> **4.** Sommes-nous dépendants de la technologie ?
> **5.** Voter est un droit mais aussi un devoir. Qu'en pensez-vous ?
> **6.** Votre vie quotidienne est-elle plus facile, moins facile, aussi facile ou aussi difficile qu'il y a 10 ans ?

Mener à bien un échange au bureau

... / 8

*(1 point pour « participer », 1 point pour la mise en forme,
2 points par suggestion ou réponse)*

Compétence travaillée

Je peux mener à bien
un court échange.

2 Vous êtes au bureau, vous recevez le courriel* suivant. Lisez-le.

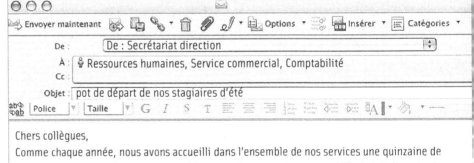

Chers collègues,

Comme chaque année, nous avons accueilli dans l'ensemble de nos services une quinzaine de stagiaires, tous compétents et sympathiques, qui nous ont beaucoup aidés de juin à septembre. Ils vont bientôt nous quitter pour reprendre leurs études ou entrer définitivement dans la vie active. La direction souhaite organiser un pot de départ pour eux. Auriez-vous des idées à me donner pour qu'il soit original ? Je voudrais également savoir si vous seriez d'accord pour participer à un petit cadeau personnalisé. Sachant qu'ils sont au nombre de 15, j'ai besoin d'idées ! Merci d'avance pour votre coopération.

---

* Courriel : courrier électronique, mél.

Vous répondez au secrétariat de direction pour dire que vous êtes d'accord pour participer à la mise en place du pot de départ et que vous avez quelques suggestions. (60 / 80 mots) Travaillez sur une feuille séparée.

VOS POINTS FORTS
ET VOS POINTS FAIBLES

Prendre des nouvelles d'un ami malade

... / 9

*(3 points pour les contraintes du SMS, 6 points pour le courriel dont
1 point pour la mise en forme et 1 point par idée / action)*

3 **1.** Un de vos amis ne s'est pas présenté au travail ce matin.
Vous supposez qu'il est malade. Inquiet, vous commencez par lui
envoyer un SMS. Vous lui demandez de ses nouvelles, vous expliquez
pourquoi vous n'avez pas téléphoné directement et lui demandez
si vous pouvez lui parler. (30 / 40 mots) Travaillez sur une feuille séparée.

2. Votre ami vous répond par courriel.

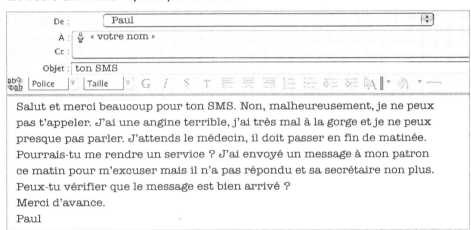

Salut et merci beaucoup pour ton SMS. Non, malheureusement, je ne peux
pas t'appeler. J'ai une angine terrible, j'ai très mal à la gorge et je ne peux
presque pas parler. J'attends le médecin, il doit passer en fin de matinée.
Pourrais-tu me rendre un service ? J'ai envoyé un message à mon patron
ce matin pour m'excuser mais il n'a pas répondu et sa secrétaire non plus.
Peux-tu vérifier que le message est bien arrivé ?
Merci d'avance.
Paul

Vous vous renseignez et répondez à votre ami par courriel. Son patron
n'a pas reçu le message et la secrétaire non plus. Pourquoi ? Soyez créatif...
(60 / 80 mots) Travaillez sur une feuille séparée.

Décrire son quartier

... / 10

(1,5 point par endroit cité + 1 point pour les points cardinaux)

4 Vous avez emménagé,
il y a trois semaines, dans
un petit studio à Créteil.
Vous écrivez à une amie pour
lui décrire votre nouveau
quartier. Aidez-vous du plan
suivant. (80 mots) Travaillez
sur une feuille séparée.

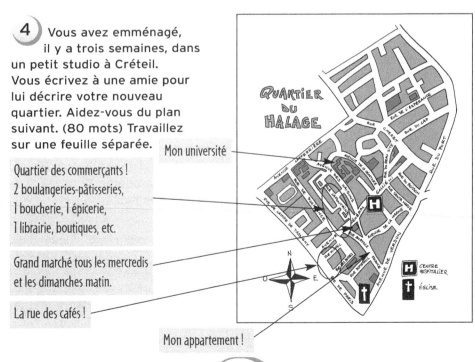

Quartier des commerçants !
2 boulangeries-pâtisseries,
1 boucherie, 1 épicerie,
1 librairie, boutiques, etc.

Grand marché tous les mercredis
et les dimanches matin.

La rue des cafés !

Mon université

Mon appartement !

Comparer deux romans d'un même auteur

... / 10

(prix, date, longueur, note (4 points) ; personnages, fin, genre (6 points))

Compétence travaillée

Je peux comparer deux objets.

5 Un ami vous a demandé de lui acheter un roman d'un auteur français. Vous hésitez entre deux livres, vous lui écrivez par courriel pour les lui présenter. Lisez les deux fiches de lecture et comparez les livres. (80 mots) Travaillez sur une feuille séparée.

Livre 1

> Guillaume Musso
> **Parce que je t'aime.**
>
> 280 pages
> Prix : 18,91 €
> Éditeur : XO, paru le 3 mai 2007
> Note des lecteurs : ★★★☆☆
>
> *Critiques…*
> *« Une très belle histoire d'amour. »* ELLE
> *« Histoire originale mais la fin est un peu décevante. Pas d'effet de surprise, dommage ! »* RTL
> *« Un excellent polar*, personnages intéressants.»* L'EXPRESS
> * Polar : roman policier.

Livre 2

> Guillaume Musso
> **Et après ?**
>
> 356 pages
> Prix : 18,91 €
> Éditeur : XO, paru en mai 2005
> Note des lecteurs : ★★★★☆
>
> *Critiques…*
> *« Quel suspense ! Guillaume Musso est le nouveau maître du fantastique français ! »* L'EXPRESS
> *« Un dénouement* que vous n'oublierez pas. »* LE FIGARO
> *« La fin est surprenante mais les personnages sont trop stéréotypés, ennuyeux et sans personnalité. »* LE NOUVEL OBS
> * Dénouement : fin.

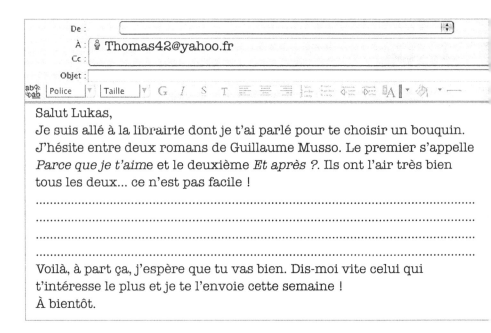

De :

À : Thomas42@yahoo.fr

Cc :

Objet :

Police | Taille | G *I* S T

Salut Lukas,

Je suis allé à la librairie dont je t'ai parlé pour te choisir un bouquin. J'hésite entre deux romans de Guillaume Musso. Le premier s'appelle *Parce que je t'aime* et le deuxième *Et après ?*. Ils ont l'air très bien tous les deux… ce n'est pas facile !

....
....
....
....

Voilà, à part ça, j'espère que tu vas bien. Dis-moi vite celui qui t'intéresse le plus et je te l'envoie cette semaine !
À bientôt.

Comptez vos points

Vérifiez les exercices 1 à 5 à l'aide des propositions de corrigés p. 121.
Commencez par compter vos points pour chaque exercice, puis calculez
votre total de points.

Exercices n°	1	2	3	4	5	Total des points
Nombre de points	... / 12	... / 8	... / 9	... / 10	... / 10	...... / 49

Si vous avez au moins **30** points (sur **49**), vous êtes proche du niveau A2
en production écrite.
Si vous avez entre **15** et **29** points, il faut vous entraîner. Vous devez encore
vous familiariser avec le français. Saisissez toutes les occasions : commencez
par recopier des phrases, puis de courts textes que vous aimez en français.
Si vous avez moins de **15** points, vous avez encore du travail devant vous.
Il vous faut « écrire » en français le plus possible : écrivez des phrases
sur vous, vos amis, votre famille, votre environnement.
Ainsi, vous progresserez rapidement.

Remplissez le portfolio

Remplissez seul le portfolio ou faites-le remplir par votre professeur :
– faites le bilan de ce que vous savez faire maintenant ;
– déterminez les objectifs à atteindre.

Pour remplir le portfolio, utilisez les signes suivants :
– dans les colonnes BILAN : x = Je peux faire cela. / xx = Je peux faire cela
bien et facilement.
– dans les colonnes OBJECTIFS : ! = Ceci est un objectif assez important pour
moi. / !! = Ceci est un objectif très important (prioritaire) pour moi.

MES COMPÉTENCES EN PRODUCTION ÉCRITE	BILAN Ce que je sais faire maintenant		OBJECTIFS Ce qu'il me reste à apprendre	
	À mon avis	Selon mon professeur	À mon avis	Selon mon professeur
Je peux répondre à un questionnaire en exprimant mes propres opinions. → *Voir les résultats de l'exercice 1.*				
Je peux mener à bien un court échange. → *Voir les résultats de l'exercice 2.*				
Je peux écrire de brèves notes simples, de courts messages, des SMS en rapport avec des situations habituelles. → *Voir les résultats de l'exercice 3.*				
Je peux décrire mon environnement familier. → *Voir les résultats de l'exercice 4.*				
Je peux comparer deux objets. → *Voir les résultats de l'exercice 5.*				

Prendre part à une conversation
Je peux communiquer lors de tâches simples et habituelles ne demandant
qu'un échange d'informations simple et direct sur des sujets et activités familiers.
Je peux avoir des échanges très brefs.
S'exprimer oralement en continu
Je peux utiliser une série de phrases ou d'expressions pour décrire en termes simples
ma famille et d'autres gens, mes conditions de vie, ma formation et mon activité
professionnelle actuelle ou récente.

Se présenter

... / 13
(un point par information reprise)

Compétences travaillées

• Je peux me présenter
simplement.
• Je peux décrire
mes conditions de vie par
de courtes séries d'expressions
ou de phrases non articulées.

1 Vous avez rempli un formulaire sur Internet pour vous inscrire
à un cours de français intensif l'été prochain à Lyon.

Fiche d'inscription

Informations personnelles

Civilité	● M. ○ Mme/Mlle

Nom	RAMIREZ	Prénom	Pedro
Date de naissance	11 mars 1964	Nationalité	Espagnole
Profession	Médecin		
Adresse 1	Calle real N° 4	Adresse 2	
Code postal	28980	Ville	Madrid
Pays	ESPAGNE		
Téléphone	+ 34 276 345 768	Fax	
E-mail	pedroramirez@tiscali.es		

Votre niveau

Sélectionnez votre niveau   A2 ▼   Pour évaluer votre niveau, reportez-vous à l'*échelle d'évaluation des niveaux du Conseil de l'Europe.*

Quelle est votre langue maternelle ?   Espagnol ▼

Renseignements utiles
• Quelle(s) autre(s) langue(s) parlez-vous ?
• Pendant combien de temps avez-vous étudié le français ?
• Actuellement, continuez-vous à étudier le français ?

> Anglais.
> 1 an.
> Non, pas depuis 6 mois.

Êtes-vous déjà venu à FLR (Français Langue Rapide) ?   ○ Oui ● Non — Si oui quand :

Comment avez-vous connu FLR ?   Par un ancien stagiaire ▼

Choix de l'hébergement

Chez l'habitant : demi-pension ▼   Chambre simple ▼

du (JJ/MM/AA) 01/07/07   au (JJ/MM/AA) 31/07/07

Êtes-vous allergique ?   ● Oui   ○ Non — Si oui précisez : chats

Fumez-vous ?   ○ Oui   ● Non

Avez-vous une maladie ou un handicap qu'il nous est utile de connaître ?

○ Oui   ● Non — Si oui précisez :

VOS POINTS FORTS
ET VOS POINTS FAIBLES

1. Un professeur de l'école vous téléphone pour confirmer votre niveau de français. Il vous demande de vous présenter et de commenter votre fiche de renseignements.

2. Après avoir fait l'exercice, écoutez la situation exemple.

Parler de son quotidien

.... / 11
(un point par moment de la journée)

 1. Décrivez oralement une de vos journées habituelles ou ce que vous faites généralement au cours de la semaine.

Pour vous donner des idées, voici un exemple de journée type.

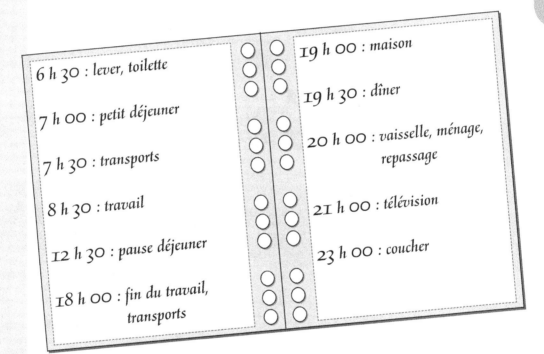

6 h 30 : lever, toilette

7 h 00 : petit déjeuner

7 h 30 : transports

8 h 30 : travail

12 h 30 : pause déjeuner

18 h 00 : fin du travail, transports

19 h 00 : maison

19 h 30 : dîner

20 h 00 : vaisselle, ménage, repassage

21 h 00 : télévision

23 h 00 : coucher

2. Après avoir fait l'exercice, écoutez la situation exemple.

Exprimer une opinion

... / 7

Compétence travaillée

Je peux dire ce que
j'aime ou pas en expliquant
pourquoi.

3 Vous êtes abonné(e) à la lettre électronique hebdomadaire du centre culturel *La Gare*. Vous étudiez le programme de la semaine.
Dites, pour chaque proposition, ce que vous aimez et ce que vous n'aimez pas, en justifiant votre point de vue. Puis, écoutez la situation exemple.

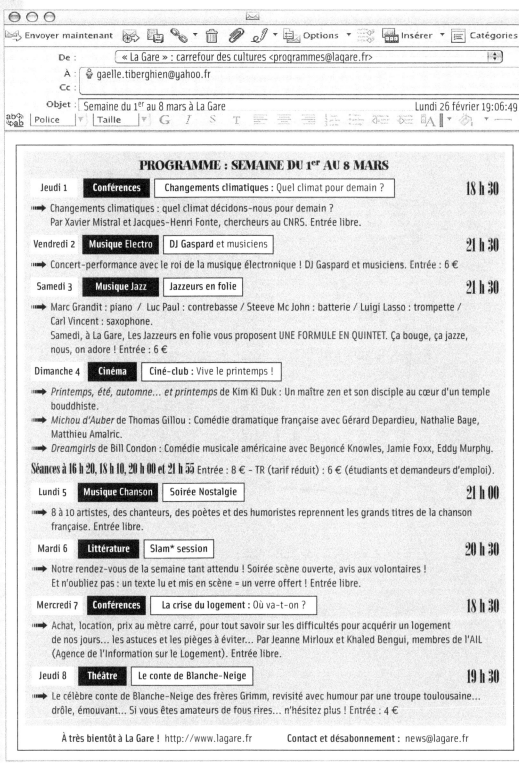

Envoyer maintenant — Options — Insérer — Catégories

De : « La Gare » : carrefour des cultures <programmes@lagare.fr>
À : gaelle.tiberghien@yahoo.fr
Cc :
Objet : Semaine du 1er au 8 mars à La Gare — Lundi 26 février 19:06:49

Police — Taille — G I S T

PROGRAMME : SEMAINE DU 1er AU 8 MARS

Jeudi 1 **Conférences** Changements climatiques : Quel climat pour demain ? **18 h 30**

➡ Changements climatiques : quel climat décidons-nous pour demain ?
Par Xavier Mistral et Jacques-Henri Fonte, chercheurs au CNRS. Entrée libre.

Vendredi 2 **Musique** Electro DJ Gaspard et musiciens **21 h 30**

➡ Concert-performance avec le roi de la musique électronique ! DJ Gaspard et musiciens. Entrée : 6 €

Samedi 3 **Musique** Jazz Jazzeurs en folie **21 h 30**

➡ Marc Grandit : piano / Luc Paul : contrebasse / Steeve Mc John : batterie / Luigi Lasso : trompette /
Carl Vincent : saxophone.
Samedi, à La Gare, Les Jazzeurs en folie vous proposent UNE FORMULE EN QUINTET. Ça bouge, ça jazze,
nous, on adore ! Entrée : 6 €

Dimanche 4 **Cinéma** Ciné-club : Vive le printemps !

➡ *Printemps, été, automne... et printemps* de Kim Ki Duk : Un maître zen et son disciple au cœur d'un temple
bouddhiste.
➡ *Michou d'Auber* de Thomas Gillou : Comédie dramatique française avec Gérard Depardieu, Nathalie Baye,
Matthieu Amalric.
➡ *Dreamgirls* de Bill Condon : Comédie musicale américaine avec Beyoncé Knowles, Jamie Foxx, Eddy Murphy.

Séances à 16 h 20, 18 h 10, 20 h 00 et 21 h 55 Entrée : 8 € - TR (tarif réduit) : 6 € (étudiants et demandeurs d'emploi).

Lundi 5 **Musique** Chanson Soirée Nostalgie **21 h 00**

➡ 8 à 10 artistes, des chanteurs, des poètes et des humoristes reprennent les grands titres de la chanson
française. Entrée libre.

Mardi 6 **Littérature** Slam* session **20 h 30**

➡ Notre rendez-vous de la semaine tant attendu ! Soirée scène ouverte, avis aux volontaires !
Et n'oubliez pas : un texte lu et mis en scène = un verre offert ! Entrée libre.

Mercredi 7 **Conférences** La crise du logement : Où va-t-on ? **18 h 30**

➡ Achat, location, prix au mètre carré, pour tout savoir sur les difficultés pour acquérir un logement
de nos jours... les astuces et les pièges à éviter... Par Jeanne Mirloux et Khaled Bengui, membres de l'AIL
(Agence de l'Information sur le Logement). Entrée libre.

Jeudi 8 **Théâtre** Le conte de Blanche-Neige **19 h 30**

➡ Le célèbre conte de Blanche-Neige des frères Grimm, revisité avec humour par une troupe toulousaine...
drôle, émouvant... Si vous êtes amateurs de fous rires... n'hésitez plus ! Entrée : 4 €

À très bientôt à La Gare ! http://www.lagare.fr   Contact et désabonnement : news@lagare.fr

* Slam : type de poésie contemporaine lue ou improvisée devant un public.

Obtenir des renseignements sur l'organisation d'un week-end ... / 10

 4 Vous avez lu l'information suivante dans l'article « Les week-ends insolites » de votre magazine.

Christine et Vincent vous proposent une formule sympa pour un Week-end Montgolfière

Partez pour un vol inoubliable !

Déroulement de votre séjour :
1. Arrivée le vendredi soir.
2. Le samedi matin, vol en montgolfière. Déjeuner puis quartier libre pour l'après-midi.
Le soir, dîner dans un restaurant typique de la région.
3. Le dimanche, déjeuner dans un restaurant gastronomique et visite des caves du Domaine Prieuré avec dégustation gratuite.

Pour de plus amples renseignements :
Christine et Vincent Lefort – 21190 Meursault – Tél. : 03 80 22 33 28

1. Vous téléphonez pour obtenir des renseignements complémentaires. Posez les questions qui correspondent aux réponses formulées par M. Lefort.

a. M. Lefort : Allô, bonjour.

Vous : ....

b. M. Lefort : Oui bien sûr : pour deux personnes, nous proposons un forfait de 740 euros tout compris.

Vous : ....

c. M. Lefort : Il comprend l'hébergement pour deux nuits, petits déjeuners inclus, le vol en montgolfière exclusif, les trois restaurants et une visite des caves avec dégustation gratuite.

Vous : ....

d. M. Lefort : Vous dormirez en chambres d'hôtes, dans une propriété du xvie siècle.

Vous : ....

e. M. Lefort : En fait, les chambres d'hôtes, ce sont des chambres meublées, situées chez l'habitant, dans sa maison.

Vous : ....

f. M. Lefort : Alors, le lever est prévu vers 6 h 00. Je vous emmène ensuite jusqu'au terrain de décollage qui se trouve près de Meursault. Le vol est prévu pour 7 h 00.

Vous : ....

g. M. Lefort : La durée de vol est d'environ 1 heure.

Vous : ....

h. M. Lefort : Vous pouvez le faire maintenant par téléphone. Je vous demanderai juste de régler une avance de 50 % pour la confirmation. Vous réglerez le reste sur place.

Vous : ....

i. M. Lefort : Tout à fait, vous pouvez m'envoyer un chèque à l'ordre de M. Vincent Lefort ou effectuer un virement bancaire.

Vous : ....

j. M. Lefort : Parfait, j'attends donc votre appel. Au revoir.

Vous : ....

2. Après avoir fait l'exercice, écoutez la situation exemple.

Indiquer son chemin à quelqu'un

.. . / 5

Compétence travaillée

Je peux donner à quelqu'un des informations dans des situations prévisibles.

5 Vous travaillez à l'accueil du centre commercial de Montesson. Votre mission : écouter les demandes des clients et leur indiquer le chemin !

1. Écoutez les demandes des clients et répondez.

a. Bonjour, j'aimerais savoir où se trouve la pharmacie, s'il vous plaît.

Vous : ....

b. Excusez-moi, est-ce que vous pourriez m'indiquer les toilettes ?

Vous : ....

c. Bonjour, nous cherchons le restaurant. C'est de quel côté ?

Vous : ....

d. Bonjour, pour payer le parking, il faut aller où exactement ?

Vous : ....

e. Bonjour, je sais qu'il y a un espace pour changer les bébés dans le centre mais je ne le trouve pas ! Vous pouvez me renseigner ?

Vous : ....

2. Après avoir fait l'exercice, écoutez la situation en entier.

Comptez vos points

Corrigez les exercices 1 à 5 à l'aide des situations proposées pp. 111-112.
Commencez par compter vos points pour chaque exercice, puis calculez
votre total de points.

Exercices n°	1	2	3	4	5	Total des points
Nombre de points	... / 13	... / 11	... / 7	... / 10	... / 5	...... / 46

Si vous avez au moins **28** points (sur **46**), vous êtes proche du niveau A2
en production orale.
Si vous avez entre **14** et **27** points, il faut vous entraîner. Commencez
par écouter des enregistrements en français et répétez ce que vous entendez.
Travaillez par deux sur des situations simples, jouez-les.
Si vous avez moins de **14** points, écoutez des enregistrements et répétez
en vous enregistrant. Répétez, prononcez en français des expressions simples.
Mémorisez des dialogues simples et répétez-les.

Remplissez le portfolio

Remplissez seul le portfolio ou faites-le remplir par votre professeur :
– faites le bilan de ce que vous savez faire maintenant ;
– déterminez les objectifs à atteindre.

Pour remplir le portfolio, utilisez les signes suivants :
– dans les colonnes BILAN : x = Je peux faire cela. / xx = Je peux faire cela
bien et facilement.
– dans les colonnes OBJECTIFS : ! = Ceci est un objectif assez important
pour moi. / !! = Ceci est un objectif très important (prioritaire) pour moi.

MES COMPÉTENCES EN PRODUCTION ORALE	BILAN Ce que je sais faire maintenant		OBJECTIFS Ce qu'il me reste à apprendre	
	À mon avis	Selon mon professeur	À mon avis	Selon mon professeur
Je peux me présenter simplement, décrire mes conditions de vie par de courtes séries d'expressions ou de phrases non articulées. → *Voir les résultats de l'exercice 1.*				
Je peux décrire en termes simples mes conditions de vie, mon activité professionnelle. → *Voir les résultats de l'exercice 2.*				
Je peux dire ce que j'aime ou pas en expliquant pourquoi. → *Voir les résultats de l'exercice 3.*				
Je peux obtenir des renseignements simples sur un voyage. → *Voir les résultats de l'exercice 4.*				
Je peux donner à quelqu'un des informations dans des situations prévisibles. → *Voir les résultats de l'exercice 5.*				

Notez les points que vous avez obtenus pour chaque compétence et regardez quelles sont vos compétences fortes et vos compétences faibles.

Écouter A2

Je peux comprendre des expressions et un vocabulaire très fréquent relatifs à ce qui me concerne de très près (par exemple moi-même, ma famille, mes achats, mon environnement proche, mon travail).
Je peux saisir l'essentiel dans des annonces et des messages simples et clairs.

Mon total pour cette compétence : ... / 54

Lire A2

Je peux lire des textes courts très simples. Je peux trouver une information prévisible dans des documents courants comme les petites publicités, les prospectus, les menus et les horaires. Je peux comprendre des lettres personnelles courtes et simples.

Mon total pour cette compétence : ... / 71

Écrire A2

Je peux écrire des notes et messages simples et courts. Je peux écrire une lettre personnelle très simple, par exemple de remerciements.

Mon total pour cette compétence : ... / 49

Parler A2

Prendre part à une conversation
Je peux communiquer lors de tâches simples et habituelles ne demandant qu'un échange d'informations simple et direct sur des sujets et activités familiers.
Je peux avoir des échanges très brefs.

S'exprimer oralement en continu
Je peux utiliser une série de phrases ou d'expressions pour décrire en termes simples ma famille et d'autres gens, mes conditions de vie, ma formation et mon activité professionnelle actuelle ou récente.

Mon total pour cette compétence : ... / 46

Attention : les exercices que vous venez de faire dans cette première partie sont bien sûr différents de ceux qui vous attendent à l'examen – même s'ils visent eux aussi des compétences de niveau A2. Vos résultats pourraient être différents avec d'autres exercices.

DÉVELOPPEZ
VOS COMPÉTENCES

Voici la deuxième étape de votre préparation. Vous allez développer votre niveau par compétence (compréhension de l'oral, compréhension des écrits, production écrite, production orale). On vous demande de réagir dans des situations contextualisées. Une série d'exercices progressifs et variés va vous permettre d'améliorer vos compétences.
À la fin de cette partie, vous serez entraîné pour le niveau A2.

Qu'est-ce qu'on vous demande ?

COMPRÉHENSION DE L'ORAL

Vous écoutez des documents enregistrés relatifs à trois ou quatre situations de la vie quotidienne et vous devez répondre à des questionnaires de compréhension.

COMPRÉHENSION DES ÉCRITS

Vous lisez des documents relatifs à trois ou quatre situations de la vie quotidienne et vous devez répondre à des questionnaires de compréhension.

PRODUCTION ÉCRITE

À partir de situations de la vie quotidienne, vous rédigez de brèves productions écrites, vous complétez un texte, vous écrivez un courriel, une lettre amicale ou professionnelle.

PRODUCTION ORALE

À partir de situations diverses de la vie quotidienne, vous répondez à des questions, vous décrivez votre quotidien, vous jouez une scène en suivant les étapes indiquées.

Quelques conseils pour vous aider

- Si vous n'arrivez pas à faire un exercice, passez au suivant.
- À la fin du travail sur chaque compétence, revenez sur les exercices que vous avez mal compris ou qui vous ont donné du mal.
- Attention ! Les exercices sont volontairement de plus en plus difficiles. Ne vous étonnez pas !

Pour vous aider à développer vos compétences en compréhension de l'oral de niveau A2, voici une série de scénarios (Une journée bien remplie, À vous l'antenne !, Un séjour à l'étranger, Un gros rhume), dans lesquels vous allez jouer un rôle important. Chaque scénario comporte plusieurs situations avec des activités à réaliser.
Vous écouterez les enregistrements, puis vous ferez les exercices proposés.
Quelques conseils :
– Lisez bien les questions avant d'écouter les enregistrements, ceci facilitera votre écoute.
– Écoutez chaque enregistrement deux fois.

Une journée bien remplie

Comprendre un message sur un répondeur

1 En arrivant au travail, Stefan, l'assistant de M. Henri Bernard (directeur de la société *Portable pour tous* à Paris), trouve un message sur son répondeur. De quoi s'agit-il ? Écoutez le message et répondez aux questions.

1. Qui a laissé ce message sur le répondeur de Stefan ?

a. ❏ Un client.   b. ❏ Un collègue de bureau.   c. ❏ Un ami de Stefan.

d. ❏ Le directeur de *Portable pour tous* à Bordeaux.

2. Pour quelle raison Paul Petit a-t-il laissé ce message ?

	Vrai	Faux	Cela n'est pas dit
a. Pour organiser un rendez-vous téléphonique.	❏	❏	❏
b. Pour organiser une rencontre.	❏	❏	❏
c. Pour discuter du budget.	❏	❏	❏
d. Pour discuter d'un nouveau modèle de téléphone.	❏	❏	❏

3. Stefan doit rappeler la personne qui a laissé le message mais ses notes sont en désordre. Aidez-le à reconstituer les deux possibilités pour contacter Paul Petit en remettant les informations dans l'ordre.

> au bureau   cet après-midi
> 06 22 13 48 19
> toute la matinée   sur le portable
> 05 56 22 13 42

Possibilité n° 1 : ....

Possibilité n° 2 : ....

Comprendre des opinions dans une conversation

2 Stefan a organisé le rendez-vous téléphonique pour 11 h 30. Il est chargé de prendre des notes pour préparer un compte rendu. Écoutez bien la conversation.

1. De quoi parlent les deux directeurs ? Cochez le bon objet.

a. ❏   b. ❏   c. ❏   d. ❏

2. Les deux directeurs sont d'accord.   ❑ Vrai   ❑ Faux

Justifiez votre réponse en notant le premier argument de chacun des directeurs.

– Paul Petit (Bordeaux) : ....

– Henri Bernard (Paris) : ....

3. Pour ou contre ? Aidez Stefan à classer les arguments de chacun des directeurs.
Écoutez chaque argument et notez son numéro dans la colonne qui convient.

Pour	Contre
	1 – ...

4. Écoutez à nouveau la conversation. Reliez chaque fonction au téléphone concerné.

Téléphone *Portable pour tous* •

Téléphone de la concurrence •

a. prend des photos
b. a un accès Internet
c. filme des vidéos
d. a un agenda
e. enregistre de la musique

Comprendre une annonce dans un lieu public

3 Quelle journée bien remplie ! Stefan quitte le bureau pour prendre le métro ligne 4, à la station Saint-Germain-des-Prés, pour rentrer chez lui, Gare de l'Est.
Quand il arrive à la station, il entend une annonce. Que se passe-t-il ?
Écoutez bien l'annonce et répondez aux questions.

1. Quel est le problème ?

a. ❑ Une grève.   **b.** ❑ Un accident.   **c.** ❑ Un problème technique.

2. À quelle station le problème est-il survenu ? Cochez la bonne réponse.

a. ❑ À la station Châtelet.

b. ❑ À la station Les Halles.

c. ❑ À la station Châtelet-Les-Halles.

3. Sur quelles lignes de métro le trafic est-il interrompu ? Entourez le numéro des lignes concernées.

① ② ③ ③bis ④ ⑤ ⑥ ⑦ ⑦bis ⑧ ⑨ ⑩ ⑪ ⑫ ⑬ ⑭

4. Dans combien de temps le service reprendra-t-il ?

a. ❑ Très rapidement.   **b.** ❑ Dans quelques minutes.   **c.** ❑ Cela n'est pas dit.

Justifiez : ....

Comprendre une conversation

4 Stefan ne sait pas comment il va rentrer chez lui, Gare de l'Est. Il écoute la conversation de plusieurs passagers qui cherchent des solutions. Peut-être cela va-t-il l'aider ? Écoutez bien la conversation et répondez aux questions.

1. Les passagers qui discutent veulent aller :

a. ❏ Gare de l'Est.   **b.** ❏ Gare du Nord.

c. ❏ Gare Saint-Lazare.   **d.** ❏ Gare Montparnasse.

2. Quelles sont les trois possibilités citées par les passagers pour rentrer chez eux ?

a. ....

b. ....

c. ....

3. Reliez les numéros de bus avec leur destination.

a. Bus 39 •   • **1.** Gare Saint-Lazare

b. Bus 95 •   • **2.** Porte des Lilas

c. Bus 96 •   • **3.** Gare de l'Est

4. Que proposent finalement les passagers ?

	Vrai	Faux
a. De prendre le bus tous ensemble.	❏	❏
b. De rentrer à pied tous ensemble.	❏	❏
c. De partager un taxi.	❏	❏

5. Souvenez-vous où habite Stefan... Aidez-le à rentrer chez lui. Proposez-lui deux possibilités.

a. ....

b. ....

À vous l'antenne !

Comprendre l'essentiel d'une information culturelle

1 Vous passez une journée de repos chez vous et vous en profitez pour écouter tranquillement la radio. Écoutez et répondez aux questions.

1. De quel spectacle parle l'animateur ? Cochez la bonne affiche.

a. ❏   **b.** ❏   **c.** ❏

2. Vrai ou faux ? Cochez la case correspondante.

	Vrai	Faux
a. La critique du journaliste est positive.	☐	☐
b. Le spectacle a lieu en Belgique.	☐	☐
c. La comédienne est seule sur scène.	☐	☐
d. Le spectacle a lieu du mardi au samedi à 10 h 00.	☐	☐

3. Vous êtes intéressé(e) par ce spectacle et souhaitez proposer à un(e) ami(e) de vous accompagner. Complétez les caractéristiques du spectacle pour le lui décrire.

Genre	Thèmes / Contenu
	petites histoires
seule-en-scène	

Comprendre un bulletin d'informations

2 Écoutez bien le bulletin d'informations de la radio et répondez aux questions.

1. Chassez l'intrus : entourez dans la liste les thèmes dont la candidate n'a pas parlé dans son discours.

a. le travail   **b.** les syndicats   **c.** le logement

d. la santé   **e.** l'école   **f.** l'armée

g. le droit des étrangers   **h.** la sécurité   **i.** l'Europe

2. La candidate prépare un tract pour faire connaître ses propositions.
Complétez les informations manquantes.

Les propositions de la candidate Ségolène Royal

1. Un accès privilégié à la .... et à .... afin d'éviter que les jeunes restent au chômage plus de 6 mois.

2. Une .... : un euro dépensé doit être un euro utile.

3. Une réflexion au niveau national sur .... , ..., la vie chère.

4. Un .... gratuit pour tous les élèves.

5. La création d'une ....

6. Une politique de prévention et de recherche sur les ....

7. Une Europe où la France ....

---

3. Les propositions de la candidate sont liées à des problèmes que connaît la société française. Dans quel ordre la candidate formule-t-elle ses propositions ? Numérotez de 1 à 7.

a. L'insécurité : n° ...   **e.** La santé : n° ...

b. Le problème France / Europe : n° ...   **f.** L'échec scolaire : n° ...

c. Le chômage : n° ...   **g.** Le coût de la vie : n° ...

d. Les dépenses de l'État : n° ...

 *Écouter*

Comprendre un sondage

3 Écoutez bien le reportage et répondez aux questions.

1. L'objectif de la semaine européenne de la mobilité est de :

a. ❑ louer une voiture pour voyager en Europe.

b. ❑ ne pas utiliser sa voiture pour mieux découvrir sa ville.

c. ❑ prendre sa voiture pour visiter son pays.

2. De quels pays et de quelles villes viennent les personnes qui ont participé au sondage ? Associez.

		a. Séville
		b. Allemagne
1. Juliette		**c.** Bari
2. Pedro		**d.** France
3. Andréas		**e.** Lyon
4. Anna		**f.** Italie
		g. Berlin
		h. Espagne

3. Reliez chaque personne à l'activité dont il/elle parle.

a.   b.

- Pedro •
- Anna •
- Juliette •
- Andréas •

c.

d.

4. Écoutez à nouveau les témoignages. Notez les activités sous le thème qui les représente.

Découverte culturelle	Repas	Sport	Expression
....	....	....	....
....			

Comprendre un programme d'activités

4 Écoutez bien cette rubrique culturelle et répondez aux questions.

1. Quel est le thème du *Printemps des Poètes* ?

a. ❑ La poésie classique.   **b.** ❑ La poésie contemporaine.   **c.** ❑ Le poème d'amour.

2. Chassez l'intrus : entourez les villes où n'auront pas lieu les manifestations poétiques présentées par l'animateur.

Montpellier   Limoges   La Rochelle   Toulouse   Nantes

          Lyon   Paris   Dijon   Poitiers

3. Vous aimez beaucoup Françoise Clédat. Où et quand pouvez-vous la rencontrer ?

	Vrai	Faux
a. À la FNAC*.	❑	❑
b. Dans une librairie du 14e arrondissement à Paris.	❑	❑
c. Du 5 au 18 mars.	❑	❑
d. Uniquement le 12 mars à 19 h 00.	❑	❑

---

* La FNAC est un grand supermarché spécialisé dans la vente de livres, disques et films.

4. Que se passera-t-il à la librairie *Vice-Versa* ? Avez-vous bien compris ?
Cochez l'image qui représente l'activité.

a. ❑   **b.** ❑   **c.** ❑

5. Écoutez bien la dernière activité proposée par l'animateur.

a. À qui s'adressent ces soirées ? ....

b. Dans quelle langue ? ....

Un séjour à l'étranger

Comprendre un message type sur un répondeur téléphonique

1 Vous avez décidé de partir en vacances. Vous téléphonez à l'agence de voyages *Le Monde pour tous*. Écoutez attentivement les informations données par le standard téléphonique.

1. Quand pouvez-vous vous rendre à l'agence ? Cochez la bonne affiche.

Le Monde pour tous	Le Monde pour tous	Le Monde pour tous
Toutes vos idées vacances sont chez nous !	**Toutes vos idées vacances sont chez nous !**	**Toutes vos idées vacances sont chez nous !**
Horaires d'ouverture Du mardi au vendredi 9 h 00-19 h 30 Samedi 11 h 00-16 h 30 Fermé le dimanche	**Horaires d'ouverture** Du mardi au vendredi 10 h 00-17 h 30 Samedi 11 h 00-18 h 00 Fermé le dimanche et le jeudi	**Horaires d'ouverture** Du mardi au vendredi 10 h 00-18 h 30 Samedi 11 h 00-18 h 00 Fermé le dimanche et le lundi

a. ❑   b. ❑   c. ❑

2. Quelles informations pouvez-vous obtenir par le standard téléphonique ? Reliez la touche de téléphone à l'information désirée.

a.

b.

c.

d.

3. Quelles sont les autres possibilités proposées par le standard ? Complétez.

a. Si vous vous rendez sur le site www.lemondepourtous.fr,

vous pourrez ....

b. Si vous patientez,

vous pourrez ....

Comprendre des informations touristiques dans une conversation entre deux personnes

2 Vous vous rendez à cette agence aux heures d'ouverture. Vous attendez votre tour avec un couple qui échange des informations sur plusieurs destinations de vacances. Écoutez attentivement.

1. Le couple cite trois pays : lesquels ? Entourez les bonnes réponses.

KENYA   SÉNÉGAL   TURQUIE   MEXIQUE   THAÏLANDE   ITALIE

2. Chaque hôtel permet de pratiquer plusieurs sports. Reliez le nom de l'hôtel aux activités qu'il propose.

| HÔTEL OASIS | HÔTEL TIWI BEACH | HÔTEL KEMER RESORT |

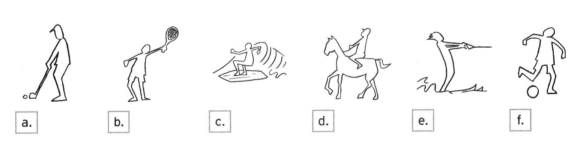

| a. | b. | c. | d. | e. | f. |

3. Afin d'aider le couple à se décider, complétez le tableau comparatif suivant avec les informations manquantes.

Hôtel	Confort	Animations
OASIS	– .... internationale – Piscine	– Spectacles tous les soirs
TIWI BEACH	– Restaurant .... – 2 piscines –	– Fête avec .... – Spectacles de ....
KEMER RESORT	– Restaurant – .... privée – .... – Sauna	– .... avec guide touristique

4. Classez les séjours du moins cher au plus cher.

Mexique – Kenya – Turquie

.... < .... < ....

Comprendre un itinéraire

 3 C'est votre tour. Mais l'employé s'excuse. Avant de s'occuper de vous, il doit confirmer un itinéraire à un client par téléphone. Le téléphone est sur haut-parleur.

1. Quel itinéraire suivra le client ? Tracez l'itinéraire et soulignez sur la carte toutes les villes qu'il traversera depuis la ville de départ jusqu'à la ville d'arrivée.

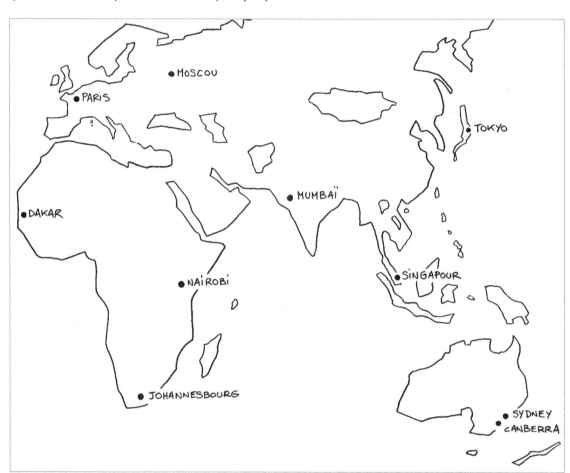

2. Quels transports le client n'utilisera-t-il pas ? Entourez le/les intrus.

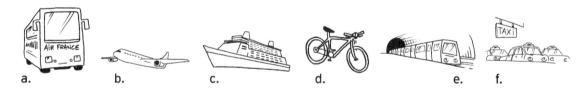

a.   b.   c.   d.   e.   f.

3. Aidez le client à retenir son itinéraire. Complétez le tableau avec les numéros de vol et les heures de départ et/ou d'arrivée.

		VOL	DÉPART	ARRIVÉE
●	·1	AF	23 h 15	....
●	2	AA	....	11 h 10
●	3	AA1485	....	15 h 25

Un gros rhume

Comprendre un message sur le répondeur d'un cabinet médical

1 Vous ne vous sentez pas très bien depuis quelques jours, vous téléphonez à un cabinet médical pour prendre rendez-vous. Écoutez les informations que vous donne le répondeur.

1. Qui désirez-vous consulter ? Cochez la bonne réponse.

a. ❑ un ophtalmologue   b. ❑ un dentiste   c. ❑ un généraliste   d. ❑ un cardiologue

2. Vous pouvez voir le médecin aujourd'hui.   ❑ Vrai   ❑ Faux

Justifiez votre réponse : ....

3. a. Après avoir raccroché, vous vous rendez compte que vos notes ne sont pas très claires, remettez-les en ordre.

> • aller au cabinet / téléphoner
> • pour prendre rendez-vous / sans rendez-vous
> • en semaine et le samedi matin / du lundi au vendredi
>
> 1. Je peux .... / .... / ....
> 2. Sinon, je peux .... / .... / ....

b. Complétez vos notes précédentes avec les jours et les horaires correspondants.

> Cabinet Vilman
>
> Je peux y aller :
> Du .... au ....
> De .... h .... à .... h ....
>
> Je peux téléphoner :
> Du .... au ....
> De .... h .... à .... h ....
> Le .... jusqu'à .... h ....

4. Quelles sont les autres options proposées ? Cochez vrai ou faux et justifiez votre réponse.

	Vrai	Faux	Justifier
a. Je peux les appeler pour une urgence.			....
b. Je ne peux pas laisser de message sur le répondeur.			....

Comprendre une conversation

2 Vous vous rendez au cabinet aux heures de consultation sans rendez-vous. Dans la salle d'attente, vous écoutez une conversation entre deux patients. Ils comparent deux médecins.

1. Quel médecin va vous recevoir aujourd'hui ? Cochez la bonne réponse.

a. ☐ le médecin habituel
b. ☐ un remplaçant
c. ☐ une remplaçante
d. ☐ cela n'est pas dit

2. Retrouvez les qualités qui correspondent à chaque médecin. Cochez dans la colonne correspondante.

	Dr. Vilman	Dr. Lavor
a. Contact agréable		
b. Sérieux		
c. Précision du diagnostic		
d. Clarté des explications		
e. Rapidité		

3. Quelles sont les opinions de la patiente et du patient ?

	Vrai	Faux	?
a. Le Dr. Lavor donne trop d'antibiotiques.			
b. Les deux médecins ont beaucoup trop de patients.			
c. Le Dr. Vilman connaît de bons spécialistes.			

4. Cochez la bonne réponse puis justifiez.

a. La patiente   ☐   peut attendre.   Pourquoi ?

            ☐   ne peut pas attendre.   ....

b. Le patient   ☐   peut attendre.   Pourquoi ?

            ☐   ne peut pas attendre.   ....

Comprendre les instructions d'un professionnel de la santé

3 En sortant de chez le médecin, vous vous rendez à la pharmacie pour acheter vos médicaments. Le pharmacien vous explique l'ordonnance et vous donne des instructions.

1. Il faut bien sûr comprendre sous quelle forme et dans quel cas prendre ces médicaments ! Reliez chaque médicament à sa forme et aux symptômes à traiter.

Médicament   *Forme*   *Symptômes*

POLIDRANE 500

a.

1.

EUCALYPTUX

b.

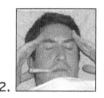
2.

FERVOX

c.

3.

2. Complétez l'ordonnance du médecin avec les quantités prescrites et la durée du traitement.

Cabinet médical
17, rue Marie Curie – 69004 Lyon
Tél. : 04 62 17 25 25 – Fax. : 04 62 17 25 17

Docteur Constant Vilman
n° 69 1 54763 0
Diplômé de la Faculté de Médecine de Lyon

Nom du médicament	*quantité / jour*	*durée du traitement*
Polidrane 500	....	pendant ....
Eucalyptux	....	pendant ....
Fervox	....	pendant ....

3. Il faut toujours écouter les conseils de son pharmacien ! Remettez-les en ordre !

ne pas arrêter	les doses* prescrites	beaucoup d'eau
boire	le traitement	respecter

a. ....

b. ....

c. ....

----
* Dose : quantité.

Pour vous aider à développer vos compétences en compréhension des écrits de niveau A2, voici une série de scénarios (Le travail, c'est la santé ! ; Apprenti cuisinier ; À vos marques, prêts, partez ! ; Une bouteille à la mer... ; Dur, dur d'être stagiaire !) dans lesquels vous allez jouer un rôle important. Chaque scénario comporte plusieurs situations différentes avec des activités à réaliser.

Lisez bien les consignes et les questions avant de lire les documents.
Regardez les documents dans leur ensemble avant de les lire dans le détail.
Vous n'avez pas besoin de tout comprendre en détail : il faut surtout repérer les informations essentielles qui vous aideront à comprendre l'ensemble.

Le travail, c'est la santé !

Vous travaillez dans l'industrie chimique. Le Comité pour l'hygiène et la sécurité de votre entreprise a organisé une réunion pour s'assurer que tous les employés sont correctement informés des différentes règles à respecter dans l'entreprise.

Comprendre les informations relatives à la sécurité, au danger

1 Une circulaire est remise aux employés concernant les conditions de travail. Prenez-en connaissance.

MAÎTRISEZ LE DANGER

RÈGLES DE BASE EN MATIÈRE DE SÉCURITÉ AU TRAVAIL

De nombreux accidents se produisent au cours d'activités quotidiennes. Pour les éviter, pensez à suivre les conseils suivants :

A. Pour éviter les chutes et les glissades
- Signaler les zones dangereuses.
- Toujours se tenir au moment d'utiliser les escaliers.
- Porter des chaussures spéciales, avec des semelles antidérapantes.
- Nettoyer régulièrement les zones glissantes avec les produits appropriés.

B. Pour bien aménager son poste de travail informatisé
- Le siège, le bureau et l'écran doivent être à la bonne hauteur.
- L'écran doit se trouver à 60 cm des yeux.

C. Pour éviter les accidents en cas d'incendie
- Ne rien laisser sur le sol car même les petits obstacles peuvent causer la mort.
- Ne jamais bloquer les sorties de secours.

D. Pour donner l'alarme et les premiers secours
- Il est impératif de savoir à qui s'adresser en cas d'urgence et d'avoir les numéros d'urgence bien en vue et à portée de main.
- Ne jamais déplacer ou transporter un blessé, sauf en cas de danger imminent.

D'après www.suva.ch

VOS COMPÉTENCES

1. Quels sont les risques évoqués dans ce document ? Reliez chaque domaine aux images correspondantes.

A ☐   B ☐   C ☐   D ☐

1.   2.   3.   4.   5.   6.   7.

2. Quelles précautions doit-on prendre ? Relevez dans le texte la/les consigne(s) qui correspond(ent) aux photos suivantes.

a. ....

e. ....

b. ....

c. ....

f. ....

g. ....

d. ....

3. Quelques jours plus tard, l'entreprise vous demande de remplir un questionnaire pour vérifier que vous avez compris les mesures de sécurité. Cochez la/les bonne(s) réponse(s).

MAÎTRISEZ LE DANGER : LA SÉCURITÉ AU TRAVAIL

QUESTIONNAIRE

1. Pour éviter les chutes, l'entreprise doit
   a. ☐ informer des dangers et laver avec fréquence les sols.
   b. ☐ interdire l'accès aux escaliers et acheter des chaussures aux employés.

2. vous devez
   a. ☐ ne pas aller dans les zones dangereuses et éviter les escaliers.
   b. ☐ être bien équipé et monter/descendre les escaliers avec précaution.

3. En cas d'incendie,
   a. ☐ les petits objets sur le sol ne sont pas dangereux.
   b. ☐ il faut faciliter l'accès aux portes de secours.

4. Pour éviter des problèmes de santé,
   a. ☐ votre position et la place de l'ordinateur sont importantes.
   b. ☐ l'ordinateur doit être placé à 60 cm en hauteur.

5. En cas d'urgence ou d'accident,
   a. ☐ connaître les numéros de téléphone d'urgence est vital !
   b. ☐ disposez le blessé sur un lit et attendez les secours.
   c. ☐ repérez le téléphone le plus proche : les numéros sont affichés !

49

Comprendre les panneaux dans l'entreprise

2 Ensuite, on veut s'assurer que la nouvelle signalétique implantée dans l'entreprise a été bien comprise. Voici les panneaux que vous rencontrez maintenant tous les jours.

 a.
 b.
 c.
 d.
 e.
 f.

 g.
 h.
 i.
 j.
 k.
 l.

 m.
 n.
 o.
 p.
 q.

1. Quels panneaux représentent des lieux ? Quels panneaux symbolisent des interdictions et des obligations ?

Lieux / services	
Interdictions	
Obligations	

2. Indiquez pour chaque situation la lettre qui correspond aux lieux adéquats.

1. Aïe, aïe, aïe ! Un accident ! Une personne est blessée : où allez-vous ? ......

2. Vous buvez trop de café : les toilettes ! ......

3. Vous ne savez pas lire ? On ne peut pas fumer ici ! ......

4. Vous devez faire des photocopies. ......

5. La journée est terminée ! Vous allez chercher votre voiture au parking. ......

3. Reliez maintenant les panneaux aux actions qui leur correspondent. (Attention : plusieurs réponses sont possibles.)

1.

2.

3.

4.

5.

6.

7.

• Prendre la sortie de secours

• Aller à l'étage

• Tourner à droite

• Descendre

• Prendre à gauche

Comprendre un court article informatif

3 Enfin, on vous distribue un article sur la nouvelle loi anti-tabac dans les lieux publics.

LE TABAC À L'ARRÊT

Interdiction de fumer dans les lieux publics dès 2007

L e gouvernement a finalement opté pour une interdiction pure et simple du tabac dans les lieux publics. Elle se fera en deux temps : dès le 1er février 2007 pour la majorité des lieux (écoles, magasins, entreprises…) alors que les « lieux de convivialité » (cafés, restaurants, bars-tabac et discothèques) disposeront d'un délai jusqu'en janvier 2008. Ils auront également la possibilité de s'équiper en fumoirs « hermétiquement fermés ».

Attention aux sanctions si vous ne respectez pas cette nouvelle loi : 75 euros d'amende pour les fumeurs et 150 euros d'amende pour les établissements. Par contre, bonne nouvelle : l'État prendra en charge un tiers du coût du traitement pour arrêter de fumer.

Le gouvernement suit ainsi une tendance en Europe, où plusieurs pays, comme l'Irlande ou l'Italie, ont déjà adopté des mesures en ce sens.

D'après *Métro*
09/10/2006

---

1. Dites si ces affirmations sont vraies, fausses ou si cela n'est pas dit (?).

	V	F	?
a. La loi anti-tabac est appliquée depuis le premier trimestre 2007.			
b. L'interdiction de fumer ne concerne que les commerces.			
c. La vente de tabac sera interdite dans les bars et les discothèques.			
d. L'État a prévu des sanctions mais aussi des aides.			
e. Deux pays européens ont confirmé qu'ils suivraient l'exemple français.			

2. Évitez les sanctions : quels sont les établissements où l'on ne pourra plus fumer en 2007 ?

a. ☐   b. ☐   c. ☐   d. ☐   e. ☐   f. ☐

3. Répondez aux questions suivantes.

a. En 2008, si l'on fume dans n'importe quel lieu public, que se passera-t-il ?

....

....

b. Comment appelle-t-on les espaces réservés aux fumeurs dans les lieux publics ?

....

c. Vous avez acheté des patchs pour arrêter de fumer. Vous avez payé 45 euros. Combien vous donnera l'État ? Cochez la somme correcte.

☐ 22,50 €   ☐ 15 €   ☐ 45 €

Apprenti cuisinier

Comprendre une recette de cuisine

1 Vous avez invité des amis à dîner samedi soir. Nous sommes vendredi après-midi et vous vous assurez que vous avez bien tout ce qu'il faut pour **réaliser** votre recette de cuisine. Lisez la recette.

TARTE COURGETTES ET GRUYÈRE

❤ ❤ C'est une tarte que l'on peut manger chaude ou froide, accompagnée d'une petite salade.

PÂTE BRISÉE
200 g de farine
100 g de beurre
5 cl d'eau
1 pincée de sel

GARNITURE
2 à 3 courgettes, selon leur taille
3 œufs
100 g de crème fraîche
150 g de gruyère
1 cuillère à soupe d'huile d'olive
sel, poivre...

Pour préparer la pâte, mettez dans le bol de votre robot mixeur la farine, le sel et le beurre et faites tourner 3 minutes. Ajoutez 5 cl d'eau, faites tourner jusqu'à l'obtention d'une boule, sortez la pâte du robot et mettez-la au réfrigérateur entre 1/2 heure et une heure.

Pendant que la pâte repose, lavez les courgettes, coupez-les en fines rondelles avec le robot. Faites chauffer ensuite l'huile d'olive dans une casserole, ajoutez les courgettes tranchées, couvrez et faites cuire à feu doux 20 minutes.

Dans un grand bol : battez les 3 œufs, ajoutez la crème fraîche tout en mélangeant. Salez et poivrez. Râpez le gruyère. Ajoutez-le à la préparation, ajoutez également les courgettes cuites et mélangez bien pendant 5 minutes.

Sortez la pâte du réfrigérateur, étalez-la et mettez-la dans un moule à tarte beurré. Versez-y la préparation. Faites cuire 20 à 30 minutes dans le four préchauffé à 200 °C. Surveillez la cuisson : quand c'est doré (bord et garniture), c'est prêt !

BON APPÉTIT !

---

1. Vous avez vérifié : vous avez tous les ingrédients. Quel est votre réfrigérateur ?

a. ☐   b. ☐   c. ☐

2. Pour réaliser cette recette, vous aurez besoin de ces 8 ustensiles et appareils.
À quoi servent-ils ? Retrouvez dans la recette les verbes qui correspondent aux actions et écrivez-les à l'infinitif, comme dans les exemples.

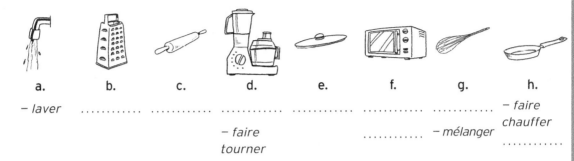

a.	b.	c.	d.	e.	f.	g.	h.

– *laver* .... – *faire chauffer*

– *faire tourner* .... – *mélanger*

....

3. Tout est clair ? Pour le savoir, indiquez dans le tableau suivant si c'est vrai, faux ou si cela n'est pas dit (?).

	V	F	?
a. Ce plat est une entrée.			
b. Vous utiliserez les fonctions *mélanger* et *couper* de votre robot mixeur.			
c. Le beurre sera utilisé pour cuire les courgettes.			
d. Avec ce plat, il est conseillé de boire un vin blanc d'Alsace.			

Comprendre un mode d'emploi

2 Puis, vous prenez connaissance du mode d'emploi du robot mixeur dont vous avez absolument besoin pour réaliser la recette.

AH0374 – **ROBOT MULTIFONCTION MIXIMEX**

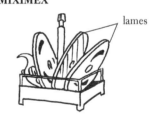

sélecteur de vitesse

bol

lames

bloc moteur

Conseils de sécurité
– Placez toujours l'appareil hors de portée des enfants.
– Utilisez les lames avec précaution : elles sont extrêmement coupantes.
– N'utilisez que les accessoires Miximex.
– Débranchez toujours l'appareil quand vous ne l'utilisez pas.

MISE EN MARCHE

Contrôler la vitesse
– Appuyez sur la touche « pulse » pour contrôler la vitesse des préparations.
– Arrêt : tournez le sélecteur de vitesse sur la position « 0 ».

Mélanger
Vous pouvez préparer jusqu'à 800 g de pâte lourde (sablée, brisée, à pain) en 40 secondes environ, mélanger jusqu'à 0,5 l de pâte liquide (crêpes, gaufres) en 1 min à 1 min 30, mélanger 1 kg de pâte légère (biscuit, gâteau) en 1 min 30 à 3 min 30.
– Tournez le sélecteur de vitesse sur la position « 2 ».
– Arrêtez l'appareil quand vous constatez la formation de la boule de pâte.

Trancher
Préparez au maximum 700 g d'aliments à la fois (pas de viande ni de charcuterie).
– Tournez le sélecteur de vitesse sur « 1 » pour trancher, « 2 » pour râper.
– Pour les légumes suivants : pommes de terre, carottes, céleri, utilisez la lame A.
– Pour tous les autres légumes, utilisez la lame B.

1. Soyons prudents ! Avez-vous bien compris les consignes de sécurité ? Répondez par vrai ou faux. Justifiez votre réponse.

	Vrai	Faux
a. Je peux utiliser des accessoires d'une autre marque.	❏	❏
Justifiez :		
b. Les enfants peuvent utiliser l'appareil.	❏	❏
Justifiez :		
c. Il faut faire attention aux lames pour ne pas se couper.	❏	❏
Justifiez :		
d. Le robot doit toujours être branché.	❏	❏
Justifiez :		

2. Comment fonctionne le sélecteur de vitesse ? Indiquez à quoi sert chaque fonction.

a. pour . . . .

c. pour . . . .

d. pour . . . .

b. pour . . . .

e. pour . . . .

3. Avez-vous bien compris les fonctions de votre robot ? Complétez le récapitulatif suivant.

Miximex

Les deux fonctions principales du robot sont . . . . et . . . .

On peut mélanger . . . .

On peut trancher . . . .

On ne peut pas trancher . . . .

Pour trancher, on utilise . . . .

Chercher un service dans les pages jaunes

3 Catastrophe ! Nous sommes vendredi soir et l'appareil refuse de fonctionner : votre dîner est en danger ! Consultez le site <u>www.pagesjaunes.fr</u> pour trouver une solution pour samedi soir...

Traiteur Arcangelito

1 pl Grimaldi 06000 Nice   04 93 82 28 33

Plan | Itinéraire | Photo | Vue aérienne | Infos Horaires | Envoi 📱 |
À proximité

Restaurant, terrasse ombragée. Le meilleur de la cuisine mexicaine :
originale, colorée et... épicée ! Plats à emporter, livraison à domicile.

Sur un Plateau

7/9 Promenade des Anglais 06000 Nice   04 93 825 825

Plan | Itinéraire | Photo | Vue aérienne | Infos Horaires | Envoi 📱 |
À proximité

Du lundi au vendredi, les bons petits plats de nos régions livrés, en 30 min, chez vous comme
au bureau.

.../...

.../...

Bip Bip Pizza

impasse square Magnan 06000 Nice   04 93 37 14 11

Plan | Itinéraire | Photo | Vue aérienne | Infos Horaires | Envoi 📱 |

À proximité

Livraison 18 H à 23 H – 7J/7. Promotion à emporter : 1 pizza géante achetée = 1 géante offerte.

Toutes les saveurs de l'Italie !

Coquillages André

6 bis av Alfred Borriglione 06100 Nice   04 93 51 99 99

Plan | Itinéraire | Photo | Vue aérienne | Infos Horaires | Envoi 📱 |

À proximité

Le spécialiste du poisson et des coquillages. Fruits de mer à partir de 15 €.

Livraison à domicile, vente à emporter.

Domcuisto

32 rue Mistral 06000 Nice   04 93 88 90 75

Plan | Itinéraire | Photo | Vue aérienne | Infos Horaires | Envoi 📱 | Mail : contact@domcuisto.com

À proximité

Invitez un chef français dans votre cuisine : il vous préparera des plats bien de chez nous !

Plusieurs formules, pour vos repas en famille, entre amis et vos cérémonies... Ouvert 7j/7

---

1. En général, on consulte le site www.pagesjaunes.fr pour (cochez la bonne réponse) :

a. ☐ trouver des informations touristiques.

b. ☐ trouver les coordonnées d'un professionnel.

c. ☐ trouver les coordonnées d'un particulier.

2. Qui fait quoi ? À l'aide de l'exemple proposé, complétez les cartes de visite suivantes.

Exemple :

Arcangelito
Spécialités mexicaines
vous propose les services suivants :
sur place, livraison à domicile et à emporter.

Sur un plateau

Spécialités ....

vous propose les services suivants :

....

a.

BIP BIP PIZZA

Spécialités ....

vous propose les services suivants :

....

b.

DOMCUISTO

Spécialités ....

vous propose les services suivants :

....

c.

Coquillages André

Spécialités ....

vous propose les services suivants :

....

d.

3. Il faut que le menu plaise à tous vos amis... Lisez les informations suivantes.

> • Nicolas adore la cuisine internationale et française. Il aime toutes les viandes et tous les poissons. Par contre, il est un peu plus difficile pour les légumes. Il les préfère plutôt crus que cuits ! Mieux vaut éviter les plats à base de sauce tomate et les soupes de légumes. Il adore les huîtres, les moules et les crevettes.
> • Céline est la moins difficile de tous ! Elle est très curieuse et aime donc goûter de nouveaux plats. Seul problème : elle est allergique aux fruits de mer.
> • Diane, c'est la star des plats préparés et du surgelé : elle déteste cuisiner. C'est pourquoi elle commande presque toujours des pizzas quand vous dînez chez elle. Diane adore les féculents (pâtes, riz, etc.). Elle ne prend jamais de sauce piquante car elle ne supporte pas les plats épicés.

Supprimez donc les prestataires qui ne conviennent pas.

a. ❑   b. ❑   c. ❑   d. ❑   e. ❑

4. Il ne vous reste plus que deux prestataires mais rappelez-vous le jour où vous organisez votre dîner : quelle est donc la seule possibilité ?

. . . .

Comprendre une publicité

 Vous consultez maintenant le site de Domcuisto afin de vous assurer que ce prestataire convient pour votre dîner.

DOMCUISTO : les services d'un cuisinier à domicile

NOS COORDONNÉES

Tél. : 04.93.88.90.75
Port. : 06.08.63.84.60
mél : contact@domcuisto.com

Pour consulter nos menus
et nos tarifs : cliquez ici

Pour réserver, un délai
de 24 heures est à respecter.

DOMCUISTO
peut également être présent
pour vos grandes occasions :
**mariages, anniversaires,
pendaisons de crémaillère.**

Un nouveau concept

DOMCUISTO est un concept de restauration à domicile.

DOMCUISTO vous propose de prendre en charge :

– l'élaboration du menu avec le chef cuisinier,
– l'achat de produits frais,
– la préparation du repas chez vous,
– le service à table,
– le rangement et le nettoyage de votre cuisine.

Ainsi, vous pourrez profiter pleinement de votre repas et de vos invités !

Une cuisine de qualité

Pourquoi faire appel à DOMCUISTO plutôt que d'aller au restaurant ?

Contrairement au restaurant, vous vous retrouvez dans **un lieu calme, convivial et intime** : **le vôtre !** Vous pouvez ainsi recevoir vos invités à l'heure que vous souhaitez et prolonger votre soirée sans contrainte d'horaire.

De plus, DOMCUISTO vous garantit la qualité d'un repas élaboré à partir de produits frais rigoureusement sélectionnés pour vous et préparés le jour même.

---

1. Domcuisto est la combinaison logique de :

a. ❑ domestique + cuisinier

b. ❑ domicile + cuisson

c. ❑ domicile + cuisinier

2. Complétez la définition de Domcuisto avec des mots que vous trouverez dans le texte.

DOMCUISTO vous propose les .... d'un cuisiner. Il vient directement

à votre .... pour .... les différentes étapes de

la .... que vous organisez. Plus de problème avec l'.........................

puisque c'est vous qui décidez de l'heure d'arrivée et de départ de vos ....

Par ailleurs, vous êtes sûrs que les produits seront très .... car ils sont

.... avec soin par DOMCUISTO.

3. Quels sont les services proposés par Domcuisto ? Répondez par vrai ou faux. Justifiez votre réponse.

	V	F
a. Obtenir des informations sur les menus et les prix n'est pas possible sur ce site. Justifiez :		
b. DOMCUISTO s'occupe de faire les courses. Justifiez :		
c. Le cuisiner prépare les plats dans votre cuisine et vous les apporte à votre table. Justifiez :		
d. Il faut absolument réserver deux jours à l'avance. Justifiez :		
e. Votre soirée sera aussi calme et intime que si vous étiez au restaurant. Justifiez :		
f. Une fois le cuisiner parti, votre cuisine sera propre et en ordre. Justifiez :		

4. Domcuisto organise des réceptions pour célébrer certains événements : lesquels ?

a. ❑   b. ❑   c. ❑   d. ❑   e. ❑

À vos marques, prêts, partez !

Comprendre les informations principales d'une circulaire

1 Vous recevez dans votre boîte aux lettres une circulaire. Lisez-la.

SPORT POUR TOUS

Association à but non lucratif pour la promotion du sport à Paris

Lettre d'informations sportives n° 14, mars-juin 2007.

Le printemps qui s'annonce vous propose de nombreuses nouvelles que les sportifs accueilleront avec plaisir.

1. Ça roule, même sous la pluie ! Le premier skate parc couvert de la capitale s'installe à la porte d'Orléans. Ce nouvel équipement constitue une reconnaissance pour le skater. Il s'agissait de répondre à l'évolution des pratiques et à l'apparition de nouveaux sports. Ouverture le 14 mai.

2. Soirée des arts martiaux. La mairie du 14e et les clubs organisent, samedi 2 juin à partir de 19 H 00, une grande soirée dédiée aux arts martiaux à l'Institut du judo. Au programme : des démonstrations de champions et de clubs locaux. Tous publics.

3. Réouverture de la piscine Montparnasse le 15 mars. Elle ouvrira à nouveau ses portes après une complète rénovation. Elle offre deux bassins, le plus grand de 33 m et le second de 25 m. La piscine sera ouverte jusqu'à 22H les mercredis.

4. Stages de tennis. Du 2 au 8 avril, notre association organise, pour les jeunes de 7 à 17 ans, des stages de tennis de 5 jours (à la demi-journée ou à la journée). Contact : 01 58 10 18 24

5. Pour les vacances de Pâques, du 9 au 20 avril, la mairie du 14e, avec les clubs et associations de l'arrondissement, organise des stages pour les enfants et les adolescents : foot, escalade, danse, escrime… Inscriptions en mairie.

À bientôt !

---

1. Quelle est la fonction de cette lettre ?

a. ☐ Répondre à une demande d'informations.

b. ☐ Informer les adhérents de l'association des nouveautés sportives du printemps.

c. ☐ Informer les habitants du 14e arrondissement de Paris des nouveautés sportives du printemps.

2. Reliez chaque information avec le ou les sports mentionnés.

| 1 | 2 | 3 | 4 | 5 |

a.   b.   c.   d.   e.   f.   g.   h.

3. Quels paragraphes parlent des activités réservées aux enfants et aux adolescents ? Justifiez en citant le texte.

N°...... : ....

N°...... : ....

4. Quels paragraphes parlent des nouveautés ou des changements ? Justifiez en relevant les termes qui indiquent qu'il y a quelque chose de nouveau.

N°...... : ..../...

N°...... : ..../................................./............................

5. Dans votre agenda, notez les activités par ordre chronologique pour ne pas les oublier ou les mélanger.

Dates				
Information principale				
Ne pas oublier				

Comprendre les informations d'une brochure de la mairie

2 La brochure trimestrielle de la Mairie de Paris vient d'arriver dans votre boîte aux lettres. L'article principal de la rubrique « actualités » attire votre attention. Lisez-le.

Pari Roller

a. La vocation de Pari Roller, association loi 1901, est d'organiser et de promouvoir les randonnées roller du vendredi soir et, par extension, de promouvoir le roller comme loisir, sport et moyen de transport.
b. Elle a été bâtie sur des principes nés de la rue, des randonnées dites « sauvages ». À l'époque, une petite bande de patineurs se déplaçait dans la rue avec pour seul but le plaisir de la glisse, des rencontres, bref, de la liberté. Pari Roller reste une association complètement indépendante. Son seul interlocuteur incontournable est la préfecture de police de Paris, pour demander des autorisations.

c. Bien évidemment aujourd'hui, grâce à la fréquentation de la Friday Night Fever, les choses évoluent. Mais le principe reste le même : la balade est gratuite, ouverte à tous ceux qui savent contrôler leur vitesse. C'est une fête populaire.
d. Mais c'est aussi à vous, patineurs fidèles ou occasionnels de la balade, de nous communiquer vos envies.

Si vous avez des projets ou si vous recherchez des conseils, n'hésitez pas à nous contacter !
e. Cette randonnée est celle qui réunit le plus grand nombre de patineurs sur la planète… et c'est la vôtre. Il ne tient qu'à vous qu'elle disparaisse ou qu'elle survive.

Boris BELOHLAVEK,
Fondateur, Président.
Source : www.pari-roller.com

Doc 1

Prochain rendez-vous :
vendredi 27 avril, place Raoul Dautry
dans le 14e arrondissement.
Départ à 21 h 30.
Nombre de participants prévu : 15 000.
Jusqu'à 1 h du matin, sur une trentaine
de kilomètres.

Doc 2

Parcours du 27 avril

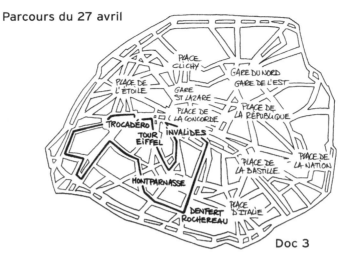

Doc 3

1. Le thème de l'article est :

a. ❏ la randonnée à pied.

b. ❏ la randonnée à vélo.

c. ❏ la randonnée en roller (en patins à roulettes).

2. Associez un titre à chaque paragraphe de l'article.

A	**1.** Appel à participation.
B	**2.** Encouragement à donner son avis.
C	**3.** Caractéristiques de la balade.
D	**4.** Naissance des randonnées en patins à roulettes.
E	**5.** Rôle de l'association Pari Roller.

3. Répondez par vrai ou faux et justifiez votre réponse.   Vrai   Faux

a. L'association Pari Roller a pour rôle d'encadrer les randonnées en roller.   ❏   ❏

Justification : ....

b. C'est l'association qui a créé les premières randonnées en roller.   ❏   ❏

Justification : ....

c. L'association est totalement libre, elle ne doit demander aucune autorisation.   ❏   ❏

Justification : ....

d. La balade est gratuite et tout le monde peut y participer à condition
de savoir déjà bien patiner.   ❏   ❏

Justification : ....

4. Vous désirez participer à la prochaine rencontre. À l'aide des documents 2 et 3, complétez
vos notes.

a. *Date* :	**e.** *Nombre de participants* : ....
b. *Rendez-vous* :	**f.** *Longueur du parcours* : ....
c. *Heure de début* :	**g.** *Heure de fin* : ....
d. *Principales étapes du parcours* :	
....	

Comprendre une mise en garde

 3 Mais les associations de quartiers sont contre cette manifestation sportive. Vous voyez partout des affiches qui mettent en garde contre les dangers de cette randonnée. Que lui reproche-t-on ?

TOUS CONTRE LE PARI ROLLER !

ATTENTION, DANGER !!!!

1. Les patineurs ne portent pas toujours les protections réglementaires : s'ils tombent, ils peuvent se blesser et ça peut être très grave !

2. Certains patineurs n'ont pas du tout de pratique. Ils ne savent pas faire face aux difficultés techniques, comme les pavés et les descentes dans les rues en pente. C'est très imprudent !

3. D'autres ne savent pas freiner. C'est très dangereux pour les autres participants !

4. Les cyclistes et les skaters se mélangent aux patineurs : ce sont des modes de déplacement différents et il y a déjà eu beaucoup d'accidents ! Ils sont trop intrépides !

5. Certains participants pensent que la balade est une course de vitesse. C'est très risqué et ils roulent sur les trottoirs, ce qui est interdit pour la sécurité des personnes.

6. Des patineurs s'accrochent aux véhicules accompagnateurs : ceci peut provoquer des accidents dramatiques !

1. Associez chaque critique à l'image ou aux images qui lui correspond(ent).

| 1 | 2 | 3 | 4 | 5 | 6 |

a.   b.   c.   d.   e.   f.   g.   h.

2. Relevez dans l'affiche les adjectifs qui expriment la mise en garde, le danger.
Par exemple : n° 4, **intrépides** « Ils sont trop intrépides ! ».

....

....

3. Reliez chaque expression avec sa définition.

1. une protection	a. Se retenir, ne pas lâcher, se cramponner.
2. la pratique	b. Expérience donnée par l'exercice, l'usage, l'habitude.
3. freiner	c. Compétition.
4. se mélanger	d. Ce qui protège, qui sert à éviter de se blesser.
5. une course de vitesse	e. Ralentir, s'arrêter.
6. s'accrocher	f. S'associer, s'introduire, se mêler.

Une bouteille à la mer...

Comprendre une annonce

1 Marta vit en France depuis un an. Elle s'est inscrite, comme vous, sur le site francophone www.enfrancais.com pour rencontrer des gens et pratiquer le français. Découvrez son annonce et vérifiez si vous l'avez bien comprise.

> Bonjour,
> Je m'appelle Marta, j'ai 25 ans et je suis étudiante. J'aimerais rencontrer de nouveaux amis. Je recherche des personnes tolérantes, franches, généreuses et disponibles.
> Depuis que je vis en France, je n'ai rencontré que des gens froids et distants.
> Moi qui étais plutôt ouverte et chaleureuse, je suis devenue très discrète !
> Si vous vivez en France, on pourrait se rencontrer et faire des activités ensemble.
> Mais si vous vivez à l'étranger et que, comme moi, vous étudiez le français, je serais heureuse de correspondre avec vous en français ! Alors, vous qui recherchez aussi de vrais amis, des personnes sincères à qui vous pourrez tout dire, écrivez-moi vite !

1. Quelle est la fonction du message ?

a. ☐ Convaincre quelqu'un.   **b.** ☐ Rechercher quelqu'un.   **c.** ☐ Rassurer quelqu'un.

2. Reliez chaque adjectif avec sa définition.

a. Tolérant   **1.** Qui parle avec sincérité.

b. Franc   **2.** Qui pratique la tolérance, qui est indulgent.

c. Généreux   **3.** Libre, qui a du temps pour les autres.

d. Disponible   **4.** Désintéressé, qui donne facilement.

3. Dites si les informations suivantes sont vraies ou fausses. Justifiez en recopiant l'extrait de l'annonce qui convient.

	Vrai	Faux
a. En France, Marta a rencontré des gens sympathiques.	☐	☐

Justifiez : ....

b. Marta a toujours été une personne discrète.	☐	☐

Justifiez : ....

c. Marta recherche des personnes sympas et honnêtes.	☐	☐

Justifiez : ....

4. Marta propose deux types d'échanges dans la deuxième partie de l'annonce.
Classez les images par type d'échanges.

– Type d'échanges 1 : ....

– Type d'échanges 2 : ....

a.   **b.**   **c.**   **d.**   **e.**   **f.**

Comprendre une lettre personnelle courte et simple

2 Votre page a été visitée et vous avez reçu un courrier de Simon.

Bonjour !
Je m'appelle Simon Bertier et j'aimerais beaucoup faire ta connaissance. En fait,
je suis français, mais je me suis inscrit sur ce site parce que j'aimerais bien
rencontrer des étrangers qui apprennent le français ou correspondre avec eux.
Je suis professeur de français et j'ai beaucoup voyagé à l'étranger. J'ai 35 ans,
j'adore danser, mais aussi aller au cinéma, au théâtre, voir des expositions.
La communication est pour moi une chose essentielle, alors j'apprécie aussi
beaucoup les soirées entre amis au restaurant, ou les rencontres dans les cafés.
Mais je peux aussi communiquer par téléphone ou sur Internet, avec les gens qui
ne vivent pas en France. Tu ne précises pas où tu habites dans ton annonce.
Moi, j'habite pour le moment à Marseille mais je peux me déplacer facilement.
Alors, réponds-moi si tu es d'accord pour faire connaissance !

1. Il s'agit : **a.** ☐ d'un courrier d'excuses.

b. ☐ d'un courrier de prise de contact.   **c.** ☐ d'une demande d'information.

Justification : ....

2. Créez la carte d'identité de votre correspondant.

Nom :   *Berthier*

.... : ....

.... : ....

.... : ....

.... : ....

.... : ....

.... : ....

3. Chassez les intrus : cochez les lieux qui ne correspondent pas aux goûts de Simon.

a. ☐   b. ☐   c. ☐   d. ☐   e. ☐

f. ☐   g. ☐   h. ☐   i. ☐

4. Notez les manières de communiquer qui plaisent à Simon.

• ....
• ....
• ....
• ....

Comprendre un récit

3 Vous avez répondu à Simon que vous étiez d'accord pour faire sa connaissance et vous avez manifesté votre curiosité pour ses séjours à l'étranger. Voici sa réponse.

Merci de ta réponse !

Oui, en effet, j'ai beaucoup voyagé à l'étranger grâce à mon travail.

Je te raconte : comme je suis professeur de français, je consulte depuis plusieurs années le site www.fle.fr qui propose de nombreuses annonces pour des postes à l'étranger.

D'abord, il y a cinq ans, j'ai commencé par donner des cours de français à des étudiants débutants en Colombie, à Bogota à l'Alliance française. J'ai fait ça pendant un an. Ensuite, j'ai obtenu un poste à Dakar, au Sénégal au Centre culturel. Là, je préparais les étudiants à passer des examens de français. J'y suis resté deux ans.

Après, c'est à l'Institut français de Rabat, au Maroc, que j'ai exercé comme professeur de littérature française pendant un an.

Enfin, l'année dernière, je suis allé travailler au service culturel de l'Ambassade de France à Rome, en Italie, où j'étais chargé d'organiser des activités culturelles en français pour les étudiants.

Après cette dernière expérience de 12 mois, j'ai eu envie de rentrer un peu en France. C'est pourquoi je suis actuellement à Marseille, ma ville natale. Je travaille à l'université, je donne des cours de français aux étudiants étrangers. Voilà ! Et toi ? Parle-moi de toi !

À bientôt.

1. Combien de postes Simon a-t-il occupés à l'étranger ?

❏ 5 ❏ 4 ❏ 6

Justifiez votre réponse en soulignant dans son récit les mots qui indiquent une succession dans la chronologie des événements. *Par exemple :* « D'abord, il y a cinq ans… ».

2. Dites si ces affirmations sont vraies ou fausses. Vrai Faux

a. On sait comment Simon a trouvé du travail à l'étranger. ❏ ❏

Justifiez : ....

b. Simon a passé 6 ans à l'étranger. ❏ ❏

Justifiez : ....

c. Il est resté un an à chacun de ses postes. ❏ ❏

Justifiez : ....

3. Afin de bien comprendre le parcours de Simon à l'étranger et en France, complétez le tableau suivant.

Pays	Ville	Lieu de travail	Durée du contrat	Activité professionnelle
Colombie	*Bogota*	*Alliance française*	*Un an*	*Cours de français pour étudiants débutants*

Dur, dur d'être stagiaire !

L'hôtel *Le Prieuré* vous a recruté comme stagiaire pour trois mois. Votre travail consiste à prendre connaissance de toutes les correspondances qui arrivent à l'hôtel, les comprendre et les classer par ordre d'importance pour les remettre au secrétariat de la direction.

Comprendre une lettre de réclamation

 Nous sommes le 24 juillet. Il est 8 h 30. Vous arrivez à l'hôtel et vous trouvez tout d'abord une lettre de réclamation d'un client.

M. Antoine Hibon
36, rue des Marais
62232 Fouquereuil

> Hôtel Le Prieuré
> 17 boulevard Victor Hugo
> 34000 Montpellier
>
> Fouquereuil, le 21 juillet 2007

Objet : Réclamation

Monsieur le Directeur,

Mon épouse et moi avions réservé une chambre double en demi-pension dans votre hôtel du 13 au 17 juillet. Nous sommes au regret de vous informer que les services proposés par votre établissement ne sont pas à la hauteur d'un hôtel 3 étoiles.

En effet, les services annoncés au moment de la réservation ont été très différents de la réalité :
– Nous n'avons pas eu d'eau chaude pendant toute la durée de notre séjour et votre personnel a été incapable de trouver une solution.
– Le matin, nous n'avions ni thé ni jus d'orange. Le café était souvent froid, le pain n'était pas frais… Pourtant, on nous avait promis des petits-déjeuners variés.
– Enfin, contrairement à ce que vous affirmez à vos clients, il est impossible de dormir car l'hôtel est situé dans un quartier très animé et, par conséquent, très bruyant.

Je vous prie donc de bien vouloir me rembourser, dans les meilleurs délais, le prix de notre séjour.
Dans cette attente, veuillez agréer, Monsieur le Directeur, mes salutations distinguées.

A. Hibon

P.J. : Copie de la facture de notre séjour.

---

1. Une lettre de réclamation permet de :

a. ☐ se plaindre d'un mauvais service.

b. ☐ remercier pour un service de qualité.

c. ☐ confirmer une réservation d'hôtel.

2. Vous devez toujours rédiger une petite note avant de remettre une lettre au secrétariat de la direction. Comme dans l'exemple, barrez les propositions qui ne correspondent pas à la situation.

....

De : Stagiaire

À : Secrétariat de la direction

Objet : | Lettre de réclamation / ~~refus~~ / ~~confirmation~~ :

M. Antoine Hibon / Le directeur de l'hôtel écrit une lettre à M. Antoine Hibon / au directeur de l'hôtel parce qu'il est ravi / mécontent / indifférent de son séjour à l'hôtel. Il y a séjourné pendant 2 / 3 / 4 nuits avec sa fille / femme / mère il y a 7 / 14 / 21 jours. Il demande au directeur de lui rembourser les frais du séjour / lui présenter ses excuses / lui offrir un autre séjour gratuit. Il envoie / demande / annule aussi une copie de la facture qu'il a payée à l'hôtel pour son séjour.

....

3. Quand il s'agit d'une réclamation, vous devez enregistrer certaines informations sur l'ordinateur. Cochez les prestations concernées par les critiques de Monsieur Hibon.

Le Prieuré★★★

La réclamation concerne :
a. ☐ la propreté de la chambre
b. ☐ le personnel de l'hôtel
c. ☐ les activités d'animation
d. ☐ le rapport qualité–prix
e. ☐ la tranquillité
f. ☐ la restauration
g. ☐ l'état des installations

Demande traitée par ....

Comprendre une demande de réservation

 Vous venez de recevoir une télécopie. De quoi s'agit-il exactement ?

TÉLÉCOPIE

Expéditeur : *Madame Catherine Mougeon*	
De : 02 67 38 09 10	
Destinataire : *Hôtel Le Prieuré*	Pages : *1/1*
À : *04 67 38 09 12*	Date : *24/07/07*
Sujet : *Demande de réservation*	

☐ Urgent   ☐ Pour avis   ☐ Commentaires   ☐ Réponse   ☐ Confidentiel

Madame, monsieur,

Souhaitant visiter votre région le mois prochain, je désirerais réserver une chambre pour un couple accompagné d'un enfant pour les nuits du 13 au 16 août dans votre hôtel.

Mon fils étant âgé de 3 ans et demi, serait-il possible d'avoir dans notre chambre un lit d'enfant ? Nous souhaiterions prendre l'option petit-déjeuner et repas du soir. De plus, je crois savoir que vous acceptez la présence d'animaux domestiques. Auriez-vous l'amabilité de me le confirmer ? Nous comptons en effet venir avec notre chienne.

Enfin, comme notre fils se réveille facilement, il nous faudrait absolument une chambre donnant sur le jardin.

Dans l'attente de votre réponse,

Salutations distinguées.

Madame Catherine Mougeon

1. Cochez la bonne réponse.

a. Madame Mougeon désire réserver une chambre :

pour ☐ 2 ☐ 3 ☐ 4   nuits

en ☐ pension complète   ☐ demi-pension

b. La famille Mougeon est composée de   ☐ deux adultes, un enfant et un chien.

☐ deux adultes, un enfant et un nouveau-né.

☐ un adulte, deux enfants et un chien.

2. Après avoir lu la grille des tarifs pratiqués par l'hôtel, retrouvez le devis de Madame Mougeon.

Le Prieuré★★★

TARIFS

	♥	♥♥
CHAMBRE (PAR NUIT)	90.00 €	100.00 €
SUITE (PAR NUIT)	145.00 €	155.00 €
SUPP. DEMI-PENSION (PAR JOUR)	38.00 €	70.00 €
SUPP. PENSION COMPLÈTE (PAR JOUR)	60.00 €	96.00 €
PERSONNE SUPPLÉMENTAIRE (PAR NUIT)	12.00 €	
ANIMAL DOMESTIQUE (PAR NUIT)	11.00 €	
DEMI-PENSION ENFANT (− DE 9 ANS) (PAR JOUR)	22.00 €	
TAXE DE SÉJOUR (PAR JOUR / PAR PERSONNE)	1.00 €	

Le Prieuré★★★

vous remercie de votre visite

155 € × 3 nuits
96 € × 3 jours
12 € × 3 nuits
11 € × 3 nuits
1 € × 3 jours

Total à régler : 825 €

. ❏

Le Prieuré★★★

vous remercie de votre visite

100 € × 3 nuits
96 € × 3 jours
11 € × 3 nuits
38 € × 3 nuits
3 € × 3 jours

Total à régler : 744 €

b. ❏

Le Prieuré★★★

vous remercie de votre visite

100 € × 3 nuits
70 € × 3 jours
22 € × 3 nuits
12 € × 3 nuits
11 € × 3 jours
1 € × 3 jours (× 3 pers.)

Total à régler : 654 €

c. ❏

3. Vous allez maintenant effectuer la réservation de la chambre de Madame Mougeon. Entourez sur le plan la seule chambre qui remplit les caractéristiques souhaitées par la cliente.

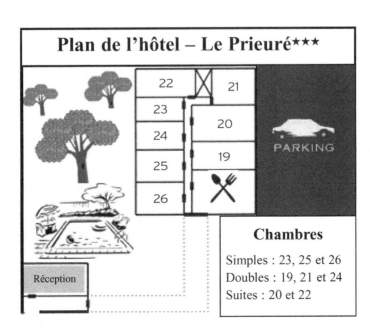

Plan de l'hôtel – Le Prieuré★★★

Chambres

Simples : 23, 25 et 26
Doubles : 19, 21 et 24
Suites : 20 et 22

Comprendre une demande d'informations

3 Enfin, vous recevez un courriel de demande d'informations. Vous l'imprimez.

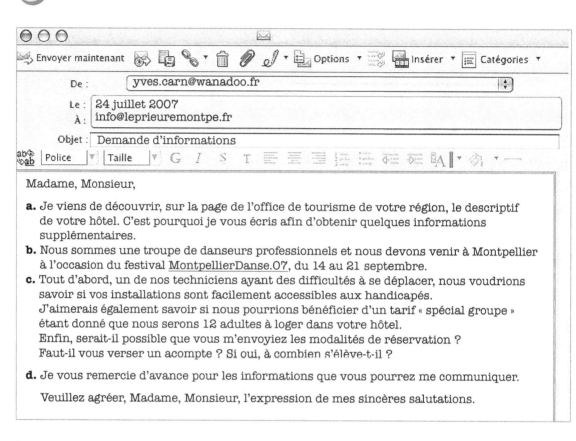

De : yves.carn@wanadoo.fr

Le : 24 juillet 2007

À : info@leprieuremontpe.fr

Objet : Demande d'informations

Madame, Monsieur,

a. Je viens de découvrir, sur la page de l'office de tourisme de votre région, le descriptif de votre hôtel. C'est pourquoi je vous écris afin d'obtenir quelques informations supplémentaires.

b. Nous sommes une troupe de danseurs professionnels et nous devons venir à Montpellier à l'occasion du festival MontpellierDanse.07, du 14 au 21 septembre.

c. Tout d'abord, un de nos techniciens ayant des difficultés à se déplacer, nous voudrions savoir si vos installations sont facilement accessibles aux handicapés.
J'aimerais également savoir si nous pourrions bénéficier d'un tarif « spécial groupe » étant donné que nous serons 12 adultes à loger dans votre hôtel.
Enfin, serait-il possible que vous m'envoyiez les modalités de réservation ?
Faut-il vous verser un acompte ? Si oui, à combien s'élève-t-il ?

d. Je vous remercie d'avance pour les informations que vous pourrez me communiquer.

Veuillez agréer, Madame, Monsieur, l'expression de mes sincères salutations.

1. Vous devez d'abord compléter la fiche client suivante.

Le Prieuré★★★

FICHE CLIENT

a. Expéditeur : ....

b. Date de réception : ....

c. Objet du courriel : ....

d. Nombre de personnes : ....

e. Motif du séjour : ....

f. A connu l'hôtel :   ❏ sur Internet   ❏ par des amis

     ❏ dans un guide touristique   ❏ autre ....

g. Voyage :   ❏ à titre personnel   ❏ à titre professionnel

h. Date d'arrivée : ....

i. Date de départ : ....

2. Dans une lettre d'informations, les idées sont ordonnées de façon précise. Les avez-vous repérées ? Reliez chaque paragraphe à son objectif principal.

a. •   • **1.** Yves remercie le destinataire du courriel.

b. •   • **2.** Yves demande des renseignements précis.

c. •   • **3.** Yves indique comment il a eu connaissance de l'hôtel ainsi que l'objet de son courriel.

d. •   • **4.** Yves se présente.

3. Quelles sont les informations que l'expéditeur de ce courriel désire connaître ? Cochez les cases correspondantes.

a. ❑   b. ❑   c. ❑   d. ❑   e. ❑   f. ❑

Comprendre une lettre officielle

4 Enfin, un coursier vous apporte une lettre officielle : que se passe-t-il ?

Montpellier, le 22 juillet 2007

Liberté • Égalité • Fraternité
RÉPUBLIQUE FRANÇAISE

DIRECTION DÉPARTEMENTALE
DES AFFAIRES SOCIALES ET SANITAIRES
Sous-Direction de l'Habitat et du Logement
Services Santé et Environnement

AVIS DE PASSAGE

Dans le cadre des **inspections annuelles des établissements hôteliers**, j'ai l'honneur de vous informer que nous allons effectuer un **contrôle sanitaire** dans votre établissement situé au :

17 boulevard Victor Hugo – 34000 Montpellier

L'objet de cette visite est de déterminer s'il existe un risque pour la santé des employés et des clients de l'hôtel.

Pour ce faire, la DDASS[1] a mandaté **un expert**[2] dans le but de :
– contrôler la signalétique incendie de vos locaux
– vérifier l'hygiène des cuisines
– évaluer l'état de la literie
– analyser l'eau de la piscine

Le contrôle aura lieu le *8 septembre 2007* de *9 h à 11 h 30*.

En cas d'impossibilité, nous vous demandons de nous en informer dans **les meilleurs délais** au **04 67 14 65 27**.

Veuillez agréer, Madame, Monsieur, l'assurance de ma considération distinguée.

85 avenue d'Assas – 34967 Montpellier cedex 02 – Tél. : 04 67 14 19 00

---

1. DDASS : Direction Départementale des Affaires Sociales et Sanitaires.
2. Expert : spécialiste, professionnel.

1. Qui est l'expéditeur ? Complétez la définition suivante en cochant l'option correspondante.

La DDASS est ❑ une institution publique

❑ une entreprise

❑ un cabinet d'experts

qui

❑ forme les personnes aux normes de sécurité

❑ construit des installations sanitaires

❑ contrôle les normes de sécurité et la propreté

dans

❑ les restaurants,   ❑ deux fois par an.

❑ les entreprises,   ❑ chaque année.

❑ les hôtels,   ❑ tous les deux ans.

2. Vous prenez à présent quelques notes dans votre agenda. Complétez.

Notes

Date de la visite : le ....

Durée de la visite : ....

Un .... de la **DDASS** viendra inspecter :

	quoi ?	pour contrôler...
1.	les locaux	signalétique incendie.
2.	....	....
3.	....	....
4.	....	....

---

3. Relevez dans le texte les phrases qui ont le même sens que les informations suivantes.

a. Si vous ne pouvez pas nous recevoir, veuillez nous appeler le plus rapidement possible.

....

b. J'ai le plaisir de vous faire savoir que nous contrôlerons votre hôtel à l'adresse suivante...

....

c. Je vous prie d'accepter, Madame, Monsieur, mes sincères salutations.

....

d. Ce contrôle sert à protéger le personnel et la clientèle de l'hôtel des maladies ou des accidents éventuels.

....

Classer des correspondances par ordre d'importance

5 Après avoir pris connaissance de tous ces courriers, vous devez les trier avant de les remettre au secrétariat de la direction. Pour cela, aidez-vous des devises de l'hôtel *Le Prieuré*.

Le Prieuré★★★

Notre priorité : votre satisfaction !

1. Des questions ? Nous y répondrons sous 24 heures !

2. Un simple courrier et votre chambre est prête à vous recevoir !

3. Notre défi quotidien : votre sécurité et votre santé !

4. Tout problème a une solution : n'hésitez pas à nous en faire part !

Chaque courrier reçu aujourd'hui correspond à une de ces devises ; classez les courriers par ordre d'importance.

La lettre de M. Hibon	Le courriel de M. Cam
Le fax de Mme Mougeon	Le courrier de la DDASS

1. ....

2. ....

3. ....

4. ....

Pour vous aider à développer vos compétences en production écrite de niveau A2, voici une série de scénarios (Objectif entreprise ; On veut tout savoir… ; Entre amis ; Aide et action) dans lesquels vous serez l'acteur principal. Chaque scénario comporte plusieurs situations avec des activités à réaliser (brève description d'un événement ou d'une expérience personnelle ; rédaction d'une lettre personnelle simple pour inviter, remercier, s'excuser, demander, informer, féliciter…) qui vous prépareront aux deux productions écrites de l'examen, chacune devant comporter 60 à 80 mots.

Au niveau A2, on vous demande de communiquer par écrit de manière simple sur des sujets familiers. On attend de vous que vous utilisiez des expressions simples, mais que vous les adaptiez en fonction de la situation. Vous êtes également capable d'articuler votre production et de développer une idée ou de raconter une histoire.

Nous avons volontairement augmenté le nombre de mots des productions (80 à 100 mots) pour vous entraîner à écrire davantage.

Objectif entreprise

Vous êtes à la recherche d'un emploi. Vous trouvez une offre qui vous intéresse et vous décidez de poser votre candidature.

Se présenter dans une lettre officielle

 Prenez connaissance du profil du poste. Vous souhaitez poser votre candidature. Vous avez noté au stylo vos informations personnelles sur la petite annonce.

| Numéro d'offre 047843R | Offre actualisée le 30 août 2007 |

Agence de voyages sur Marseille recherche son/sa

CONSEILLER(RE) EN VOYAGES CONFIRMÉ(E).

Vous renseignerez et conseillerez les clients sur diverses destinations, en vue de leur vendre des prestations de voyages. Commercial(e), dynamique et polyvalent(e), vous avez le sens de l'initiative et de l'organisation.

Formation : BTS Tourisme exigé.   *obtenu en juin 2003*
Connaissances informatiques : logiciels de réservation en ligne et Internet.   *Microsoft + Agora + Fastbooking*
Autres connaissances : Aptitude au travail en équipe.
Langues : français, anglais bilingue, une troisième langue serait un atout.   *+ espagnol*
Expérience : exigée de 3 ans sur un poste similaire.   *4 ans ! dans deux agences*

Si vous êtes intéressé(e) par ce poste, envoyez un courrier dans lequel vous vous présenterez
et décrirez votre expérience professionnelle.
Contact : Monsieur André Bérioux, Directeur. Agence Minotour. 115 La Cannebière. 13001 Marseille.

VOS COMPÉTENCES

Vous devez tout d'abord vous présenter dans une lettre officielle. Complétez le modèle suivant avec les informations nécessaires.

....
....
....
                                                  ....
                                      ...., le ....

Réf. : ....
Objet : ....

   Monsieur le ....,

   Suite à votre annonce du .... *dernier, je vous adresse ma candi-*
dature au poste de .... *au sein de votre* ....

   Âgé(e) de ...., *je suis de nationalité* .... *et*
titulaire d' .... *que j'ai obtenu il y a* ....
J'ai .... *d'expérience dans* ....

   Concernant mes qualités personnelles, je suis ...., ... *et*
.... *Je possède, par ailleurs,* ....
Je suis également capable de ....

   Pour ce qui est de l'informatique et des langues, ...
....
Je ....

Faire une brève description de ses expériences professionnelles

2 Vous allez maintenant décrire vos expériences professionnelles. À l'aide de l'exemple et des informations extraites de votre *curriculum vitæ*, complétez votre lettre. Soyez précis !

2003 (5 mois) : Stage. Agence de voyages « Primotour ».
Tâches : Accueil des clients, renseignements sur les lieux de destination, les attractions touristiques, les modes de transport, l'hébergement et le coût des voyages. Planification des itinéraires pour les groupes et les particuliers.

2004-2005 (11 mois) : Conseiller en voyages. Agence de voyages « Primotour ».
Tâches : Conseils sur les choix de voyages, les forfaits, les produits et les services offerts. Réservation des moyens de transport et d'hébergement. Sélection de services de voyages adaptés aux besoins des clients.

2005 à aujourd'hui : Conseiller en voyages. Agence de voyages « Aventura ».
Tâches : Accueil, conseils. Confirmation des réservations, émission des billets et facturation. Gestion des dossiers des particuliers. Promotion du service « entreprise » auprès des comités d'entreprises.

J'ai tout d'abord travaillé en tant que stagiaire pendant 5 mois pour l'agence de voyages « Primotour ». Je devais accueillir les clients et leur donner des renseignements sur les différents séjours et services que nous proposions. J'étais également chargé de planifier les itinéraires pour les groupes et les particuliers.

Puis, ...
....
....

Enfin, ...
....
....

Je me tiens à votre disposition pour vous exposer mes motivations lors d'un entretien.

Dans l'espoir que ma candidature retiendra votre attention, je vous prie de croire, Monsieur le Directeur, en l'assurance de ma considération distinguée.

....

PJ : Curriculum vitæ

Présenter un projet

3 Pour tester les compétences des candidats, l'agence de voyages qui recrute vous demande de présenter un projet. Lisez attentivement le descriptif ci-dessous.

> **Notre agence vient de signer un partenariat avec un petit hôtel sur l'île de Palma de Majorque, une des îles Baléares. Nous désirons proposer un service original et varié pour les clients !**

Aidez-vous des idées suivantes pour présenter votre projet concernant l'hôtel de Palma de Majorque. Travaillez sur une feuille séparée.

Soirées à thème
3 fois par semaine !

Séjours linguistiques
pour apprendre l'espagnol !

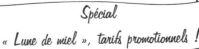

Spécial
« Lune de miel », tarifs promotionnels !

On veut tout savoir...

Vous allez participer au concours « Ces étrangers qui parlent notre langue ». Lisez les conditions ci-dessous avant de découvrir les sujets à traiter.

> Le journal *L'Univers* organise un concours de textes courts intitulé *« Ces étrangers qui parlent notre langue. »*
> Pour participer, vous devez rédiger quatre courts textes (80 à 100 mots) qui permettront aux lecteurs de découvrir votre univers. Vous devez respecter les contraintes posées par le journal. Vous pouvez gagner de nombreux prix : des voyages, des livres, des cours de français...

Décrire un lieu de vie

1 Vous habitez un appartement, une maison, une chambre d'étudiant ? En ville, à la campagne ? Décrivez l'endroit où vous habitez, faites-nous découvrir votre univers personnel. Donnez quelques détails et articulez vos idées. Travaillez sur une feuille séparée.

Donner ses impressions sur un menu

2 Voici un menu qui regroupe quelques spécialités de la gastronomie française. Donnez-nous vos impressions : vous aimeriez le goûter ou pas ? Dites-nous pourquoi. Travaillez sur une feuille séparée.

Menu gastronomique

ENTRÉE : ESCARGOTS DE BOURGOGNE

PLAT : CUISSES DE GRENOUILLES À LA CRÈME

FROMAGES : MAROILLES SUR SON LIT DE SALADE
ATTENTION : CE FROMAGE EST FORT EN GOÛT

DESSERT : BISCUITS AUX AMANDES

Énumérer des activités de loisirs

3 Quels sont vos goûts en matière de loisirs ? Il ne s'agit pas de dresser une liste ou un inventaire, mais de décrire les loisirs que vous préférez pratiquer en expliquant pourquoi. Travaillez sur une feuille séparée.

Raconter une expérience

4 Racontez une expérience sur n'importe quel thème : un voyage, une rencontre, une activité de loisirs, etc. Votre récit devra bien entendu être rédigé au passé. Il n'est pas nécessaire que l'expérience soit réelle, elle peut être imaginaire. Soyez créatif(ve) et original(e) ! Travaillez sur une feuille séparée.

Entre amis

Rédiger une note de félicitations

1 Vos amis Paul et Jacqueline viennent de s'installer dans une autre ville. Ils vous envoient leurs nouvelles coordonnées par SMS.

Quelle bonne nouvelle ! Vous leur envoyez une petite note pour les féliciter. Travaillez sur une feuille séparée.
N'oubliez pas de :
→ les saluer.
→ les féliciter et exprimer votre joie.
→ demander des détails.
→ leur proposer de vous voir bientôt.
→ terminer par une formule de politesse appropriée.

> 160   1 p   abc
>
> Paul 0624434302
> Nous sommes propriétaires !!
> Habitons depuis hier
> au 12 av. Aristide Briand,
> 24200 Sarlat.
> Espérons te voir bientôt.
> Bises
> J & P
>
> Option   Insérer

Refuser une invitation en s'excusant

2 Ils vous invitent à leur pendaison de crémaillère*. Malheureusement, vous n'êtes pas disponible ce jour-là.

> Jacqueline et Paul
> ont le plaisir de vous inviter à
> leur pendaison de crémaillère
> qui aura lieu le
> samedi 21 juillet 2007 à 20 h 00
> au 12 avenue Aristide Briand,
> 24200 Sarlat
>
> Confirmer S.V.P.

1. À l'aide du canevas de la page suivante, complétez le tableau ci-dessous avec les chiffres correspondant aux différentes parties de la lettre.

Le format	
Vous indiquez le lieu d'où vous écrivez.	
Vous indiquez la date.	

Le format		Le corps de la lettre	
Vous signez.		**Le corps de la lettre**	
Vous indiquez vos coordonnées (nom et adresse).		Puis, vous vous excusez et exprimez des regrets.	
Vous prenez congé avec une formule de politesse.		Deuxièmement, vous expliquez que vous ne viendrez pas. Justifiez-vous.	
Vous saluez avec une formule d'appel.		Enfin, vous proposez de reprendre contact plus tard.	
Vous indiquez les coordonnées du destinataire (nom et adresse).		Premièrement, vous remerciez pour l'invitation reçue.	

2. Rédigez maintenant la lettre d'excuses.

---

* Pendaison de crémaillère : fête organisée pour inaugurer une nouvelle maison.

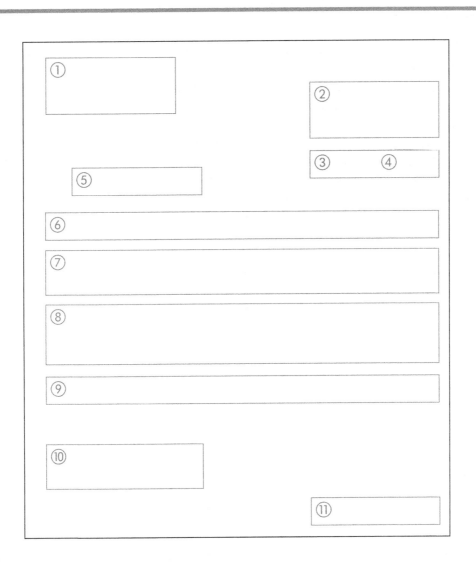

Faire une proposition

3 Quelques jours plus tard, vous leur écrivez un courriel (cf. page suivante) pour leur proposer de passer un week-end avec vous pour assister au festival de jazz « Macadam Jazz » de Périgueux, à mi-chemin entre vos deux villes. Aidez-vous du programme suivant.

Macadam Jazz

PÉRIGUEUX

Jazz et **vieille ville, soleil** en terrasse et **bonne humeur** sur les places de la ville : cet été encore, Macadam vous invite à faire une pause jazz.
Des **artistes français** et **internationaux**, des **styles très différents**…
Tous les concerts de Macadam Jazz
*se déroulent **en plein air** et sont entièrement **gratuits**.*
Apéro* jazz : à partir de 18 h 30, buvez un verre tout en écoutant les grands classiques du Jazz.
Concerts : à 21 h.

---

* Apéro : apéritif.

De : ....@.............................

À : aymard@yahoo.fr

Cc :

Objet : ....

Police ▼ | Taille ▼ G *I* S T

Saluez	....
Prenez des nouvelles	....
Présentez le festival	....
Faites une proposition, invitez.	....
Formulez un souhait et saluez.	....

Écrire une lettre pour exprimer ses impressions

4 Ils répondent par la négative, ils n'ont pas trop les moyens en ce moment.
Vous partez seul(e) au festival et vous leur envoyez une carte postale pour raconter vos impressions. Aidez-vous des éléments ci-dessous et travaillez sur une feuille séparée.

Aide et action

Demander des informations afin de comparer des associations

Vous avez reçu les prospectus publicitaires de deux associations qui vous proposent de les aider dans leurs projets en donnant de l'argent.

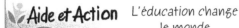 *Aide et Action* — L'éducation change le monde

Aide et Action
53 boulevard de Charonne
75545 Paris Cedex 11

Chère Madame, cher Monsieur,
L'association *Aide et Action* travaille pour un monde où tous les enfants auront accès à l'éducation. Vous pouvez nous soutenir <u>en aidant un ou plusieurs enfants à aller à l'école</u>. Votre participation financière s'élèvera à un minimum de 20 € par mois. *Aide et Action* propose <u>différentes formes</u> d'engagement : <u>l'aide individuelle</u> ou <u>l'aide à des projets</u>.
Rejoignez-nous vite !

 MÉDECINS SANS FRONTIERES

Médecins Sans Frontières
8 rue Saint Sabin
75011 Paris

Chère Madame, cher Monsieur,
Médecins Sans Frontières est une association médicale humanitaire indépendante. MSF apporte son aide à ceux dont la vie est en danger. Nous avons besoin de votre aide pour continuer à <u>sauver des vies</u>. <u>Vous pouvez nous donner de l'argent une seule fois ou le faire régulièrement</u>. C'est grâce à votre soutien que <u>nous pouvons continuer à soigner des populations chaque jour, là où les besoins sont les plus importants</u>. Par avance, merci.

1 Vous envoyez une lettre à <u>chacune</u> des deux associations pour demander des informations complémentaires, dans la perspective de décider laquelle vous allez soutenir. Certains éléments des publicités ont été volontairement soulignés pour vous aider à poser vos questions. Mais vous pouvez en poser d'autres. N'oubliez pas de respecter le rituel de la lettre. (80 à 100 mots par lettre) Travaillez sur une feuille séparée.

Informer sur ses motivations

2 Vous avez choisi d'aider *Aide et Action* qui vous a envoyé le courriel suivant.

Quand vous aider un enfant, vous entretenez une relation **individuelle** avec lui et suivez ses progrès grâce à son **enseignant**.
Vous pouvez également aider une classe ou une école, c'est ce que nous appelons **un projet**. L'année dernière, nous avons particulièrement travaillé **en Afrique, en Asie et dans les Caraïbes**.
Afin de vous aider à choisir votre projet, nous souhaiterions connaître vos motivations, les raisons de votre intérêt pour nos projets.

Vous répondez à leur demande en leur écrivant un courriel expliquant vos motivations, votre intérêt. (80 à 100 mots) Travaillez sur une feuille séparée.

Faire connaître une association et encourager de nouvelles adhésions

3 Puis vous envoyez un courriel à un ami pour lui raconter votre démarche et l'encourager à soutenir lui aussi *Aide et Action*. (80 à 100 mots) Travaillez sur une feuille séparée.

*Pour vous aider à développer vos compétences en production orale de niveau A2, voici une série de scénarios (Après l'effort, le réconfort ; La vie n'est pas un long fleuve tranquille... ; Dis-moi qui tu fréquentes... ; Au consulat) dans lesquels vous jouerez le rôle principal. Chaque scénario comporte des situations différentes avec des activités à réaliser, qui vous prépareront aux **trois épreuves de l'examen** (entretien dirigé, monologue suivi, exercice en interaction).*

Au niveau A2, on vous demande de communiquer lors de tâches simples et habituelles et d'être capable d'avoir de brefs échanges avec un interlocuteur. On attend également de vous la capacité d'utiliser en continu une série de phrases simples pour décrire votre environnement quotidien.

*Vous allez vous entraîner systématiquement à **tous les types de situations**. Pour chaque exercice, une situation exemple est enregistrée. Vous pouvez l'écouter lorsque vous avez réalisé l'exercice, pour la comparer avec votre propre production, et ainsi vous aider à développer votre compétence.*

Vous pouvez faire les exercices avec d'autres apprenants. Si vous avez le matériel nécessaire, enregistrez-vous et comparez vos productions avec les situations exemples.

Si vous éprouvez des difficultés à vous exprimer, n'hésitez pas à mémoriser des expressions ou de courtes phrases pour pouvoir les réutiliser en situation.

Après l'effort, le réconfort

Justifier un choix

 1 Vous retrouvez trois amis dans un café parisien.

1. Vous leur faites une proposition pour l'organisation d'un week-end à la campagne. Voici quelques idées pour vous aider à ne rien oublier.

Village : Argenton-sur-Creuse

Gîte rural(200 € / week-end)*

Vendredi 6-dimanche 8 avril

Durée du trajet : 2 h 43

Train aller-retour : 70 € / pers.

---

* Gîte rural : maison de campagne qui se loue pour le week-end ou pour les vacances.

VOS COMPÉTENCES

2. Puis vous justifiez votre choix.

Pour convaincre, pour justifier un choix, pensez à utiliser :
– parce que, puisque, car, comme, grâce à, en effet.
– alors, donc, c'est pourquoi, par conséquent.
– c'est ... qui / que ...

3. Après avoir fait l'exercice, écoutez la situation exemple.

Discuter des préparatifs du week-end

2 Vos amis ont accepté votre proposition, mais ils ne sont pas très organisés. Vous discutez des préparatifs du week-end, vous faites donc des suggestions. Après avoir fait l'exercice, écoutez le dialogue en entier.

a. Ami 1 : Bon, c'est d'accord. Alors, comment on fait pour se retrouver ?

Vous : ....

b. Ami 1 : Comment ça, le départ **du** train ? **Des** trains, tu veux dire ? Il doit y en avoir beaucoup le vendredi soir.

Vous : Non, au contraire, ...

....

c. Ami 1 : Tu en es sûr(e) ? Ce n'est pas une si petite ville que ça, quand même.

Vous : Si, justement, je vous l'ai déjà dit, ...

d. Ami 1 : Mais tu nous fais peur, là ! Et comment on fera une fois arrivés à la gare d'Argenton ?

Vous : Il faudra ....

....

e. Ami 2 : C'est plus amusant si on ne prépare pas trop. Pour un week-end, par exemple, ce n'est pas la peine d'emporter trop de choses !

Vous : Mais attention, nous allons dans un gîte à la campagne ! Alors ....

f. Ami 3 : On ne va quand même pas partir avec des cartons de nourriture !

Vous : Mais si, c'est indispensable, car ....

....

g. Ami 1 : Si on t'écoute, c'est une véritable expédition !

Vous : À la campagne, ...

h. Ami 2 : Tu ne veux tout de même pas qu'on réserve aussi la maison ! C'est un week-end très calme, début avril !

Vous : Mais bien sûr qu'il faut ....

i. Ami 3 : Tu n'es pas drôle ! Tu devrais travailler dans une agence de voyages ! Je ne suis pas d'accord avec tant d'organisation ! Je préfère partir à l'aventure !

Exprimer son désaccord, sa colère

3 Vos amis ne tiennent pas compte de vos suggestions concernant les réservations. Vous manifestez votre désaccord, votre agacement. Vous émettez des critiques et vous vous mettez en colère.

1. Cochez les phrases qui correspondent à un sentiment de colère.

a. ❏ Vous avez peut-être raison, mais j'aimerais qu'on réfléchisse aux réservations.

b. ❏ Enfin, c'est quand même moi qui me suis occupé(e) de chercher toutes les informations alors je sais ce que je dis quand j'insiste pour faire des réservations !

c. ❏ Il faudrait probablement s'organiser un peu mieux.

d. ❏ D'abord, arrêtez de me parler sur ce ton !

e. ❏ Je ne partage pas tout à fait votre avis : partir à l'aventure n'est pas très prudent, qu'en pensez-vous ?

f. ❏ Ensuite, vous avez tort sur tous les points ! Ce n'est pas possible d'être aussi peu organisé

2. Exprimez votre colère à vos amis en remettant dans l'ordre les phrases choisies dans l'exercice ci-dessus.

. . . . . . / . . . . . . / . . . . . .

3. Après avoir fait l'exercice, écoutez l'enregistrement.

Donner des explications

4 Vos amis sont désolés de vous avoir mis(e) en colère. Vous leur expliquez alors pourquoi il faut absolument réserver. Voici quelques pistes pour vous aider. Après avoir fait l'exercice, écoutez la situation exemple.

Les charmes d'Argenton-sur-Creuse

C'est une petite ville accueillante et dynamique, dans une région très agréable. Chaque année, de très nombreux touristes viennent la visiter.

Week-end du 6 au 8 avril, à Argenton-sur-Creuse

À ne pas manquer !

Grand festival de musique traditionnelle !

Gîte rural

Attention : la réservation s'effectue directement auprès du propriétaire ou au service de réservations.

Elle est obligatoire. < cliquez ici

SNCF www.sncf.com   *donner au train des idées d'avance*

Les sites SNCF

Choisir cet aller

Réponse à votre demande : un seul train le vendredi après-midi à destination d'Argenton-sur-Creuse.

Gares de départ/d'arrivée	Horaires	Train(s)	Durée : 02 h 43	
Paris Austerlitz	16 h 05	Corail Teoz 3651	Châteauroux Gare	18 h 03
Châteauroux Gare	18 h 34	Ter 61435	**Argenton-sur-Creuse**	18 h 48

La vie n'est pas un long fleuve tranquille...

Exprimer une opinion / se justifier

1 Vous voulez retirer de l'argent au distributeur de billets : il refuse de vous en délivrer et affiche que votre crédit est dépassé. Vous allez à votre banque.

1. À la banque, vous argumentez que le solde de votre compte permet largement un retrait. Vous vous justifiez en avançant des chiffres. Complétez le dialogue suivant en donnant votre opinion et en vous justifiant. Voici quelques idées pour vous aider.

Le distributeur automatique
Retirer de l'argent
Solde dépassé
Retrait impossible

Le moyen de paiement
La carte bleue
Le chéquier
Du liquide

N° de compte : 00056764589
Solde positif
Salaire viré : + 1 158,78 €
Virement parents : + 350 €

a. Vous : Bonjour Monsieur, voilà, j'ai un petit problème : j'ai essayé de ....

.... mais .... Pourtant, je suis sûr(e) que j'ai ....

....

L'employé : Bon, donnez-moi votre numéro de compte, on va vérifier ça.

b. Vous : Oui, bien sûr, c'est le .... Selon moi, c'est ....

puisque ....

L'employé : En effet, votre solde est positif mais vous ne pouvez retirer que 250 € par semaine et cette somme est dépassée depuis hier !

c. Vous : Mais enfin regardez sur mon compte ! Vous voyez bien que ....

.... En plus, je crois que ....

....

L'employé : Je suis désolé mais moi je ne peux rien faire.

d. Vous : Alors, comment est-ce que .... ?

L'employé : Ce que je vous propose, c'est de retirer du liquide avec un chèque à votre nom. Vous avez votre chéquier sur vous ?

e. Vous : Non, justement, il est chez moi parce que je ....

L'employé : Dans ce cas, il faudra patienter car c'est la seule solution.

f. Vous : Donc, si ...., il faut que ....

L'employé : Tout à fait. Vous pouvez aller chercher votre carnet de chèques et revenir plus tard. Notre agence ferme à 18 h.

g. Vous : Oui, mais .... car ....

L'employé : Je suis vraiment navré. Au revoir.

h. Vous : ....

2. Après avoir fait l'exercice, écoutez la situation exemple.

Convaincre

2 Puis, vous vous rendez dans un grand magasin pour acheter une machine à laver car la vôtre ne fonctionne plus. Votre carte de crédit n'est pas acceptée.
Vous voulez payer en trois fois sans frais*. Ce service est proposé à partir de 500 euros d'achat mais la machine à laver coûte 459 euros. Vous essayez de convaincre le vendeur.

Vos arguments	
a. Seulement 41 euros de différence.	**c.** La publicité ne mentionne pas de prix minimum.
b. Apporter tous les justificatifs le lendemain matin (3 chèques, bulletins de salaire...).	**d.** Geste commercial envers un nouveau client.

1. Préparez d'abord votre argumentation.

a. Comme il n'y a que 41 € de différence, vous pourriez ....

....

....

b. ....

....

....

c. ....

....

....

d. ....

....

....

2. Voici les répliques du vendeur. Testez maintenant vos arguments avec un(e) camarade qui jouera le vendeur.

a. Le vendeur : Oui, je sais bien mais le règlement est très strict pour ce type de paiement. En dessous de 500 euros, je ne peux pas vous le permettre.

b. Le vendeur : Bien sûr, mais le problème n'est pas là ! Si vous m'apportiez tous les documents demain, ça ne changerait rien.

c. Le vendeur : Ah si si, regardez, c'est écrit en petit là dans le coin en bas et à gauche ! C'est tout à fait légal, vous savez !

d. Le vendeur : Écoutez, moi, ce que je peux vous faire, c'est une remise de 5 % sur le prix de la machine à laver mais il faut que vous l'achetiez aujourd'hui et comptant.

3. Après avoir fait l'exercice en entier, écoutez la situation exemple.

---

* Payer en trois fois sans frais : possibilité de payer un achat en trois fois, sans coût supplémentaire.

Se disputer

3 Vous sortez du magasin et vous allez chercher votre voiture. Un agent de police est en train de vous mettre une contravention. Vous vous disputez avec lui. Remettez les phrases suivantes dans l'ordre pour reconstituer le dialogue puis entraînez-vous en simulant cette altercation avec un(e) camarade ou votre professeur. Vous pourrez varier avec les expressions que vous connaissez.

→ *i* – ... – ... – ... – ... – ... – ... – ... – ...

Vous	L'agent

a. Ah non, mais je proteste ! Il doit y avoir une solution !

b. Écoutez, ça ne sert à rien de discuter, je ne fais que respecter les consignes ! Au revoir !

c. Mais enfin, c'est impossible ! 11 euros d'amende pour 10 minutes de retard ! Je ne suis pas du tout d'accord ! Vous ne pouvez pas faire une exception ?

d. Oui, mais il était valable jusqu'à 16 h et il est 16 h 10 !

e. Au revoir, mais franchement je trouve que vous exagérez !

f. Bonjour, eh bien, vous allez avoir une contravention de 11 euros. Vous êtes en zone de stationnement payant et votre ticket n'est pas valable !

g. Comment ça, il n'est pas valable ? Mais j'ai pourtant mis un ticket ! Regardez !

h. Ah non, je suis désolé mais c'est comme ça ! Je ne peux rien faire pour vous, c'est la loi !

i. Bonjour, excusez-moi, monsieur l'agent, mais c'est ma voiture. Il y a un problème ?

Se plaindre

4 Des passants se sont arrêtés pour écouter votre conversation avec l'agent. Vous leur décrivez votre horrible journée. Après avoir fait l'exercice en entier, écoutez la situation exemple.

> **BOÎTE À OUTILS**
>
> Vous pouvez vous aider des expressions suivantes pour rendre plus authentique votre prise de parole :
> – Vous trouvez ça normal ?
> – Ah non, mais franchement !
> – Ras-le-bol !
> – Vous vous rendez compte !
> – Et ce n'est pas tout.
> – Et en plus...
> – Ça me fatigue !
> – C'est énervant à la fin !
> – Quelle journée catastrophique !

Tout d'abord,

Ensuite,

Et pour finir,

Dis-moi qui tu fréquentes...

Présenter et caractériser une personne

1 Vous venez de rencontrer une personne que vous avez beaucoup appréciée. Vous téléphonez à votre meilleure amie pour lui en parler.

1. Utilisez les indications suivantes pour « créer » votre personnage.

Identité, description	Goûts et opinions	Personnalité
Prénom : Aurélien Âge : ... Nationalité : ... Adresse : ... Activité : ... 		

2. Imaginez maintenant la conversation téléphonique avec votre amie.

a. Vous : ....

Votre amie : Ah salut ! Ça va ?

b. Vous : ....

Votre amie : Ah bon ? C'est qui ?

c. Vous : ....

Votre amie : Et il est comment physiquement ?

d. Vous : ....

Votre amie : Et vous avez eu le temps de parler un peu ? Quels sont ses goûts ?

e. Vous : ....

Votre amie : Ah mais je vois que vous avez les mêmes opinions, c'est bien ça !

f. Vous : ....

Votre amie : Et quel genre de caractère il a ? Il est sympa ?

g. Vous : ....

Votre amie : Eh bien, j'ai hâte de faire sa connaissance ! C'est toujours sympa de faire de nouvelles rencontres !

h. Vous : ....

Votre amie : Bon, eh bien, je t'embrasse. On se voit bientôt ?

i. Vous : ....

Votre amie : OK, Ciao !

3. Après avoir fait l'exercice, écoutez la situation exemple.

Raconter une suite d'actions

2 Vous retrouvez votre amie dans un café. Vous lui racontez maintenant comment vous avez rencontré Aurélien.

1. Dans le tableau ci-dessous, remettez dans l'ordre les différentes étapes de votre rencontre.

a. Puis, on est allés boire un café. (On est restés 2 heures dans le café.)

b. Un garçon m'a demandé de répondre à une enquête : « L'environnement et vous ».

c. Après ça, il est reparti. (Il devait travailler.)

d. J'ai accepté. (J'avais le temps / le sujet m'intéresse.)

e. On a commencé à parler de plein de choses. (Il était très sympa.)

f. Je suis allé(e) au centre-ville. (Pour faire une course.)

g. Je lui ai demandé son numéro de téléphone.

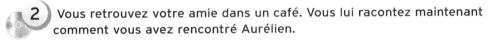

1	2	3	4	5	6	7

2. Racontez maintenant les différentes étapes de votre rencontre à voix haute ! Variez les expressions à l'aide de la boîte à outils !

> **BOÎTE À OUTILS**
>
> **Pour raconter une suite d'actions, pensez à utiliser :**
> – Tout d'abord, ensuite, puis, après, en plus, pour finir, finalement...
> – Avant, avant de, après...
> – Pendant, de 13 h à 15 h, il y a...
> – Alors, donc, c'est pourquoi, par conséquent...
> – Comme, parce que, puisque, car, grâce à, en effet...

3. Après avoir fait l'exercice, écoutez la situation exemple.

Raconter un souvenir

3 Aurélien vous a rappelé Joseph, un ami d'enfance. Racontez ce souvenir à votre amie. Vous pouvez vous aider de ces quelques notes, des photos et des dessins...
Après avoir fait l'exercice, écoutez la situation exemple.

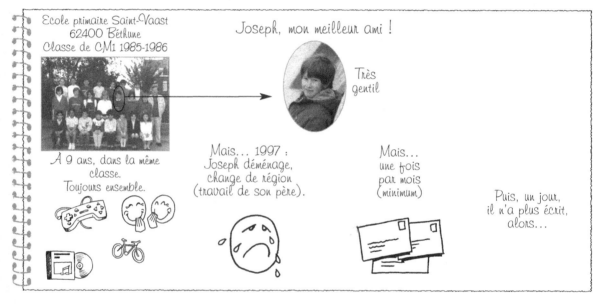

Parler de ses projets

4 Enfin, vous parlez à votre amie des sorties auxquelles vous avez pensé pour vous et votre ami.

1. Vous avez pensé à plusieurs activités. Cochez celles qui pourraient le plus intéresser Aurélien. Souvenez-vous de ses goûts et de ses opinions (exercice 1).

> • *Aller à un concert de Rap.*
> • *Aller au Printemps de Bourges*.*
> • *Boire un verre au « Kontiki », les meilleurs cocktails du quartier !*
> • *Week-end à la plage.*
> • *Soirée au « Papagao », boîte à la mode... (2 entrées gratuites)*
> • *Exposition du photographe Yann Arthus-Bertrand (la Terre vue du ciel).*
> • *Assister à une conférence à la Maison de l'écologie.*
> • *Boire un verre au « Paradis du fruit », spécialiste des boissons non alcoolisées.*
>
> ** Festival de musique qui a lieu en avril dans la ville de Bourges. On y découvre, entre autres, chaque année de nouveaux groupes de rock.*

2. Expliquez maintenant ce que vous prévoyez de faire.
Attention ! → Variez les expressions.
→ Soyez précis. (Quoi ? Où ? Quand ?)
→ Justifiez-vous.

3. Après avoir fait l'exercice, écoutez la situation exemple.

Au consulat

Saluer et se présenter

1 Vous souhaitez obtenir un visa pour aller en France, avec votre conjoint(e) et vos deux enfants. Vous avez demandé un rendez-vous au consulat de France de votre ville. Vous devez passer un entretien.

1. L'employé vous reçoit. D'abord, vous devez saluer et vous présenter en français.
Pour vous aider, voici un exemple de fiche de renseignements. Attention : vous vous présentez oralement et c'est un premier contact. À vous de sélectionner les informations utiles !

Nom : .... **Prénom :** ....
Nationalité : ....
Profession : ....
État civil : ....
Adresse : ....
Date et lieu de naissance : ....

2. Après avoir fait l'exercice, écoutez la situation exemple.

Expliquer ses motivations

2 Vous expliquez à l'employé du consulat pourquoi vous voulez aller vivre en France. Voici quelques idées pour vous aider. Après avoir fait l'exercice, écoutez la situation exemple.

Répondre à des questions formelles

3 Vous répondez maintenant aux questions que vous pose l'employé du consulat. Après avoir fait l'exercice en entier, écoutez la situation exemple.

a. L'employé : Êtes-vous déjà allé en France ?

Vous : ....

b. L'employé : Avez-vous déjà passé des examens de français ? Quel est votre niveau ?

Vous : ....

c. L'employé : Quelle est votre formation ?

Vous : ....

d. L'employé : Quels diplômes avez-vous obtenus ?

Vous : ....

e. L'employé : Qu'est-ce que vous aimez faire pendant vos loisirs ?

Vous : ....

f. L'employé : Votre conjoint(e) va vous accompagner. Quelle est sa profession ?

Vous : ....

g. L'employé : Et vos enfants ? Ils parlent français ? Dans quelle école vont-ils aller ?

Vous : ....

h. L'employé : Où logerez-vous à votre arrivée ? Qui paiera les frais ?

Vous : ....

i. L'employé : Combien de temps pensez-vous rester en France ?

Vous : ....

PASSEZ L'EXAMEN

Pour être parfaitement prêt à passer l'examen et à ne pas être surpris par le type de questions posées, nous vous proposons deux examens d'entraînement sur le modèle des épreuves du DELF A2.

Quelques conseils spécifiques

ÉPREUVE DE COMPRÉHENSION DE L'ORAL

Trois ou quatre exercices vous sont proposés. Chaque exercice se déroule en trois phases :
– une phase de prise de connaissance des questions ;
– une phase d'écoute (vous entendrez les enregistrements deux fois) ;
– une phase de réponse aux questions.

ÉPREUVE DE COMPRÉHENSION DES ÉCRITS

Trois ou quatre exercices vous sont proposés. Chaque exercice se déroule en trois phases :
– une phase de lecture des questions avant de lire les documents écrits, ainsi vous saurez si on vous demande de rechercher des informations globales ou plus précises ;
– une phase de lecture des documents proposés ;
– une phase de réponse aux questions.

ÉPREUVE DE PRODUCTION ÉCRITE

Deux exercices vous sont proposés. Pour chacun d'entre eux, lisez attentivement les consignes (prenez votre temps), puis rédigez.

ÉPREUVE DE PRODUCTION ORALE

Trois exercices vous sont proposés. Prenez bien en compte les consignes avant de passer l'oral. Pour cette compétence, nous vous proposons une démarche pas à pas.

Quelques conseils pour vous aider

Ne perdez pas de temps quand vous ne comprenez pas une consigne ou un exercice. Passez à la question suivante.
Ayez bien en tête la succession des différentes épreuves et le type de questions posées.

PASSEZ L'EXAMEN DELF A2

 ## ÉPREUVE DE COMPRÉHENSION DE L'ORAL *25 points*

Vous allez entendre trois enregistrements, correspondant à trois documents différents.
Pour chaque document, vous aurez :
– 30 secondes pour lire les questions ;
– une première écoute, puis 30 secondes de pause pour commencer à répondre
aux questions ;
– une deuxième écoute, puis 30 secondes de pause pour compléter vos réponses.

Répondez aux questions en cochant (☒) la bonne réponse ou en écrivant l'information
demandée.

Exercice 1

6 points

▶ **Première partie de l'enregistrement.**

1. Vous téléphonez au cinéma *Les Sept Parnassiens* et vous entendez le message suivant
sur le répondeur. Vous voulez connaître le nouveau film de la semaine, sur quelle touche
tapez-vous ?   *1 point*

Touche N° : . . .

▶ **Deuxième partie de l'enregistrement.**

2. Le nouveau film de François Ozon, *Angel*, est :   *3 points*

	Vrai	Faux	Cela n'est pas dit
– très attendu.	❏	❏	❏
– mal jugé par la presse.	❏	❏	❏
– une comédie.	❏	❏	❏

3. Cinq séances sont proposées. Vous avez un petit budget. Laquelle choisissez-vous ?

2 points

❏ 11 h 00   ❏ 13 h 30   ❏ 16 h 00   ❏ 18 h 30   ❏ 21 h 00

Justifiez : . . . .

Exercice 2

9 points

1. L'enregistrement que vous venez d'entendre à la radio est :   *1 point*

a. ❏ une publicité.

b. ❏ un message d'informations.

c. ❏ une annonce culturelle.

2. Le thème de cet enregistrement est : *3 points*

	Vrai	Faux
– L'organisation de l'élection présidentielle.	❑	❑
– Les thèmes de l'élection présidentielle.	❑	❑
– Les résultats de l'élection présidentielle.	❑	❑

3. Vous prenez des notes pour ne pas oublier d'aller voter : *3 points*

Date du premier tour : ....

Date du deuxième tour : ....

Lieu du vote : ....

4. Quels documents devez-vous avoir avec vous le jour du vote ? Cochez (**X**) les bonnes réponses. *2 points*

a. ❑

b. ❑

c. ❑

d. ❑

Exercice 3

10 points

1. Cette conversation est :　**a.** ❑ amicale.　**b.** ❑ familiale.　**c.** ❑ professionnelle.　*2 points*

2. Benoît Leblanc : *3 points*

	Vrai	Faux	Cela n'est pas dit
– cherche un stage en informatique.	❑	❑	❑
– a envoyé une lettre et son CV.	❑	❑	❑
– voudrait un rendez-vous avec la secrétaire de M. Sillard.	❑	❑	❑

3. Écoutez l'enregistrement et choisissez la bonne réponse. *3 points*

– Obtenir un rendez-vous avec M. Sillard est : **a.** ❑ facile.　**b.** ❑ impossible.　**c.** ❑ difficile.

– M. Sillard est actuellement :　**a.** ❑ absent.　　**b.** ❑ malade.　　**c.** ❑ très occupé.

– Benoît Leblanc demande :

a. ❑ qu'on le rappelle.　　**b.** ❑ à parler à M. Sillard.　　**c.** ❑ à rencontrer un adjoint.

4. Reliez la phrase avec sa signification. *2 points*

« Je vais voir ce que je peux faire. »

| **a.** | Ce n'est pas possible. | **b.** | Oui, bien sûr. | **c.** | Je vais essayer de trouver une solution. |

PASSEZ L'EXAMEN DELF A2

ÉPREUVE DE COMPRÉHENSION DES ÉCRITS   *25 point*

Vous devez prendre connaissance de quatre documents écrits :
– lisez tout d'abord les questions avant de lire les documents écrits.
– lisez ensuite les documents proposés.
– enfin, répondez aux questions.

Exercice 1 Vous arrivez à la piscine municipale.
Au guichet, vous voyez les panneaux suivants.   *5 point*

1 point par bonne répon

a.   b.   c.   d.   e.   f.

Retrouvez la signification de ces panneaux. Indiquez dans le tableau la lettre du dessin corres
pondant à sa signification.
Attention, il y a 6 panneaux et 5 réponses.

1. Il est strictement interdit d'introduire des animaux dans l'établissement.	
2. Porter des chaussures dans l'enceinte de la piscine n'est pas autorisé.	
3. Le port d'un maillot de bain de type classique est obligatoire pour les baigneurs.	
4. Il est formellement interdit de manger au bord du bassin et dans les vestiaires.	
5. Vous ne pouvez pas jouer au ballon dans les bassins de la piscine.	

Exercice 2 Lisez chaque titre d'article et inscrivez le chiffre
qui lui correspond dans la rubrique appropriée du tableau.   *6 point*

1 point par bonne répon

> **1.** Un nouveau vaccin sera testé demain à l'Institut Pasteur.
>
> **2.** Lille : 8 000 emplois créés dans la région en 2006.
>
> **3.** Luc Besson présente son projet de Cité européenne du cinéma.
>
> **4.** Orages : plus de trente départements toujours placés en alerte orange.
>
> **5.** Ligue des champions : Milan gagne face aux Anglais de Liverpool.
>
> **6.** Une réforme partielle des universités françaises sera votée dès cet été.

Météo	France et société	Sport	Sciences	Économie	Culture

Exercice **3**

7 points

Le TGV bat son propre record de vitesse

C'est fait : le record du monde de vitesse sur rail[1] déjà obtenu par un TGV le 18 mai 1990 (515,3 km/h) a été battu hier.

Le TGV V150 a ainsi atteint 574,8 km/h vers 13 h 15 et a, par conséquent, dépassé l'objectif initial de la SNCF, d'Alstom et du Réseau ferré de France, les trois partenaires de cette opération, qui était de 540 km/h, soit 150 mètres par seconde.

Le record de vitesse d'un train reste détenu[2] par le Maglev, train japonais, qui est monté à 581 km/h en 2003. Ce record ne peut pas être validé car c'est un train expérimental qui n'est pas sur rail et qui n'est pas encore mis en circulation.

« 580 km/h présentait trop de risques, on entrait dans l'inconnu », a commenté Patrick Trannoy, directeur de la LGV Est à Réseau ferré de France (RFF).

Éric PIECZAC, conducteur du TGV V150, pose le 3 avril 2007 avec le compteur indiquant la vitesse atteinte par le TGV.
Photo : Denis Charlet /AFP.

D'après Metrofrance.com 04/04/07

---

1. Rail : voie pour les trains.
2. Détenu : en possession de, possédé par.

1. Quelle est la fonction de ce document ? (Cochez ☒).   *1 point*

❑ informer

❑ critiquer

❑ réserver

2. Dites si ces affirmations sont vraies ou fausses. Justifiez votre réponse en citant le texte.

1,5 point par bonne réponse

	Vrai	Faux
a. Ce n'est pas la première fois qu'un TGV obtient un record de vitesse. Justifiez :		
b. Les partenaires avaient initialement prévu d'atteindre les 560 km/h. Justifiez :		
c. Les Japonais détiennent officiellement le record mondial de vitesse d'un train sur rail. Justifiez :		
d. Les partenaires de l'opération n'ont pas voulu battre le record japonais car ils pensent que cela est trop dangereux. Justifiez :		

Exercice **4** — Vous venez de recevoir ce document. Lisez-le et
répondez aux questions.

7 points

Exposition Photos 2008

Conditions de participation au concours

L'association « *Nature et Avenir* » organise
une exposition de photos de la commune
de Dambach-la-Ville, pendant l'été 2008.

Ce qu'il faut savoir :

1. La participation à cette exposition est ouverte à tous.
2. Deux photos maximum par participant.
3. Remise des photos par voie postale ou par courriel
   avant le 20 novembre 2007.
4. L'association retiendra, à l'aide d'un jury, environ 70 photos.
5. L'association s'occupera d'exposer ces photos durant
   la première quinzaine du mois d'août. Entrée gratuite.
6. Les auteurs exposés remporteront leurs photos encadrées.

http://dnavenir.net
courriel : contact@dnavenir.net
Dambach Nature Et Avenir (DNAvenir)

Association loi 1901 – Siège social : 23 place du Marché – 67650 Dambach-la-Ville

---

1. Ce document est : *1 point*

a. ❑ une publicité.   b. ❑ un règlement.   c. ❑ une lettre officielle.

2. Qui peut participer au concours ? .... *1 point*

3. Comment participer ? Complétez le tableau. *2 points*

0,5 point par bonne réponse

Il faut envoyer :	Comment ?	Quand ?
–	– .... –	– ....

4. Cochez (❎) l'affirmation correcte. *1,5 point*

a. ❑ L'association sélectionnera 70 photos exactement et les exposera avant août.
   Il y aura un droit d'entrée.

b. ❑ L'association sélectionnera à peu près 70 photos pour les exposer gratuitement en août.

5. Les participants gagneront un cours de photographie.   ❑ Vrai   ❑ Faux   *1,5 point*

Justifiez votre réponse ....

ÉPREUVE DE PRODUCTION ÉCRITE

25 points

Exercice 1 — Vous passez un mois à Besançon pour un séjour linguistique. Vous en profitez pour visiter la ville et participer à des activités culturelles. Racontez cette expérience dans votre journal intime (60 à 80 mots). Vous pouvez vous inspirer des documents ci-dessous. Travaillez sur une feuille séparée.　　*13 points*

Ville de Besançon

Exercice 2 — Vous recevez cette invitation, mais vous ne pouvez pas l'accepter. Vous expliquez pourquoi et vous proposez autre chose. Travaillez sur une feuille séparée.　　*12 points*

> Ça y est ! Le grand jour est enfin arrivé ! Mes tableaux ont plu à une galerie et j'ai le grand bonheur de vous inviter au vernissage de mon exposition, « Jaillir », le vendredi 6 juillet 2007, dès 18H00, à la Galerie La Baraka, 23 rue Daguerre à Paris dans le 14ᵉ.
> Ce vernissage sera accompagné d'un cocktail.
> C'est le plus beau jour de ma vie, alors je compte sur vous tous, mes amis, pour m'accompagner ce jour-là !
>
> Valérie

PASSEZ L'EXAMEN DELF A2

ÉPREUVE DE PRODUCTION ORALE

25 points

L'épreuve se déroule en trois parties : un entretien dirigé, un monologue suivi et un exercice en interaction. Elle dure de 6 à 8 minutes. Vous disposez de 10 minutes de préparation pour les parties 2 et 3.

• Entretien dirigé (1 minute 30 environ)
Vous vous présentez en parlant de votre famille, de votre profession, de vos goûts...
L'examinateur vous pose des questions complémentaires sur ces mêmes sujets.

• Monologue suivi (2 minutes environ)
Vous répondez aux questions de l'examinateur. Ces questions portent sur vous, vos habitudes, vos activités, vos goûts...

• Exercice en interaction (3 ou 5 minutes environ)
Vous devez simuler un dialogue avec l'examinateur afin de résoudre une situation de la vie quotidienne. Vous montrez que vous êtes capable de saluer et d'utiliser des formules de politesse.

L'épreuve de production orale du DELF A2 ressemble à celle du DELF A1. Mais le jury est plus exigeant. Il attend du candidat une expression plus articulée et un vocabulaire plus riche.

Entretien dirigé (1 minute 30 environ)

CONSEILS

Vous pouvez vous entraîner à cet entretien dirigé avec d'autres apprenants de français. Les questions posées sont souvent similaires. Entraînez-vous quatre ou cinq fois avant l'examen. Cette partie n'est pas à travailler pendant les 10 minutes de préparation, gardez plutôt ce temps pour les deux autres exercices. De plus, vous avez déjà dû vous entraîner auparavant à cet entretien dirigé.

– **Vous saluez votre examinateur ou votre examinatrice :**
Bonjour / Bonsoir, monsieur / madame.
– **Vous vous présentez :**
Nom, prénom, nationalité, profession, état civil, adresse, âge, enfants.
– **Vous expliquez pourquoi vous passez cet examen :**
Vous aimez la langue française, vous prévoyez un voyage ou des études en France ou dans un pays francophone, vous allez vous marier avec un(e) francophone, vous travaillez pour une entreprise française...
– **L'examinateur (l'examinatrice) vous pose quelques questions complémentaires :**
Sur vos loisirs, sur votre travail, sur ce que vous aimez ou ce que vous détestez, sur votre famille...

 ▶ **Pour vous habituer à entendre les questions posées à l'examen, nous vous proposons des exemples de questions enregistrées suivies d'une pause pour vous entraîner à répondre.**
1. Bonjour, je m'appelle Valérie.
2. D'abord, on va faire connaissance. Pouvez-vous me dire ce que vous faites dans la vie ?
3. Et depuis combien de temps étudiez-vous le français ?
4. Vous êtes de quelle nationalité ?
5. Vous habitez quelle ville ?
6. Et vous parlez une autre langue ? Quelles langues parlez-vous ?
7. Quelle est votre langue maternelle ?
8. Qu'est-ce que vous aimez faire en dehors du travail ou des études ?
9. Est-ce que vous connaissez un peu la France ?

 ▶ **Vous allez maintenant entendre un exemple de cet entretien dirigé d'environ une minute trente.**

PASSEZ L'EXAMEN *DELF A2*

Monologue suivi (2 minutes environ)

L'examinateur ou l'examinatrice vous interroge sur le sujet que vous aurez tiré au sort. Vous avez préparé votre réponse pendant 4 ou 5 minutes. Vous répondez à la question pendant une à deux minutes. L'examinateur ou l'examinatrice ne parlera pas, ne vous posera pas de questions. Vous pouvez regarder les notes que vous avez prises pendant la préparation pour vous aider, mais vous ne devez pas lire de texte rédigé.

Voici des exemples de sujets.
– Décrivez une de vos journées habituelles.
– Vous préférez la ville ou la campagne ? Expliquez pourquoi.
– Parlez de vos prochaines vacances.
– Parlez d'un(e) professeur que vous avez aimé(e) lorsque vous étiez au collège.
– Quel est votre livre préféré ? Dites pourquoi vous l'aimez.
– Parlez d'une personne que vous aimez.
– Vous retrouvez un(e) ami(e) que vous n'avez pas vu(e) depuis longtemps. Vous lui racontez les principaux événements de votre vie.

▶ **Pour vous entraîner, préparez le sujet suivant pendant 4 ou 5 minutes.**
– Parlez d'une personne que vous aimez.

▶ **Vous allez maintenant entendre un exemple de ce monologue suivi d'environ deux minutes.**

Exercice en interaction (3 ou 5 minutes environ)

Objectif : être capable de gérer des situations familières courantes et de vous débrouiller dans les échanges sociaux.

Vous devez résoudre une situation de la vie quotidienne, soit en simulant un dialogue avec l'examinateur ou l'examinatrice (acheter quelque chose, accepter / refuser une invitation...), soit par un exercice de coopération où vous accomplissez une tâche en commun avec l'examinateur ou l'examinatrice (organiser une activité, échanger des informations...). L'examinateur vous proposera le choix entre deux sujets. Vous aurez préparé l'exercice choisi pendant 5 ou 6 minutes.

▶ **Voici deux exemples de sujets pour cet exercice.**

Un service pour la voisine. Votre voisine part en vacances. Vous acceptez de vous occuper de ses oiseaux et de ses plantes. Avant son départ, vous lui posez des questions sur :
– la nourriture pour les oiseaux (quantité, nombre de fois par jour) ;
– l'eau pour les plantes (quantité, nombre de fois par semaine) ;
– ses vacances (destination, date de retour).
L'examinateur joue le rôle de la voisine.

À la pharmacie. Vous voulez des vitamines pour ne pas tomber malade cet hiver. Vous demandez conseil au pharmacien. Vous lui expliquez pourquoi vous voulez des vitamines et vous lui posez des questions sur la quantité et la durée du traitement.
L'examinateur joue le rôle du pharmacien.

▶ **Pour vous entraîner, voici un sujet que vous allez préparer pendant 5 ou 6 minutes.**

Une fête. Vous devez mettre au point avec un ami l'organisation d'une fête. Pensez à :
– la liste des invités,
– le choix du lieu et de la date,
– les modalités d'invitation,
– le choix du repas, la musique...
L'examinateur joue le rôle de l'ami.

Pour vous aider : prenez des notes directement en français ; n'écrivez pas de phrases complètes. Imaginez chaque moment du dialogue ; réfléchissez aux mots et expressions dont vous aurez besoin.

 ▶ **Écoutez maintenant la simulation de cet exercice en interaction d'environ trois à quatre minutes.**

PASSEZ L'EXAMEN ~~DELF A2~~ DELF A2

 ## ÉPREUVE DE COMPRÉHENSION DE L'ORAL *25 points*

Vous allez entendre trois enregistrements, correspondant à trois documents différents.
Pour chaque document, vous aurez :
– 30 secondes pour lire les questions ;
– une première écoute, puis 30 secondes de pause pour commencer à répondre
aux questions ;
– une deuxième écoute, puis 30 secondes de pause pour compléter vos réponses.

Répondez aux questions en cochant (☒) la bonne réponse ou en écrivant l'information
demandée.

Exercice 1
7 points

1. Vous venez d'entendre : *1 point*

a. ❏ une publicité à la radio.

b. ❏ un message sur un répondeur téléphonique.

c. ❏ une annonce sur un standard téléphonique.

2. Que pensez-vous de ces affirmations ? *3 points*

	Vrai	Faux	Cela n'est pas dit
– La personne qui appelle est employée d'une agence de voyages.	❏	❏	❏
– Le message concerne un voyage à Moscou.	❏	❏	❏
– La cliente souhaite un vol direct pour Bangkok.	❏	❏	❏

3. Classez les avantages (A) et les inconvénients (I) de chaque proposition. *1 point*

Propositions	Prix	Durée du voyage
Proposition 1		
Proposition 2		

Justifiez vos réponses. *2 points*

– Proposition 1, prix = ... Durée du voyage = ...

– Proposition 2, prix = ... Durée du voyage = ...

Exercice 2
7 points

1. Combien de moyens de transport sont concernés par la grève générale ? *1 point*

❏ 3   ❏ 4   ❏ 5

2. Pour chaque moyen de transport, indiquez si le trafic est très perturbé (+), peu perturbé (−)
ou si on ne sait pas (?). *4 points*

Métros, bus	
Trains	
Avions	
Taxis	

3. Que doivent faire les personnes qui ont prévu de voyager en avion ?   *2 points*

....

Pourquoi les usagers des taxis ne doivent-ils pas téléphoner aux centrales ?

....

Exercice 3

11 points

1. Que pensez-vous de ces affirmations ?   *3 points*

Françoise téléphone à Anna :   Vrai   Faux

– parce qu'elle va déménager.   ☐   ☐

– parce qu'elle veut lui donner des conseils.   ☐   ☐

– parce qu'elle a besoin d'aide.   ☐   ☐

2. Cochez (☒) les prestataires de service auxquels Françoise doit téléphoner pour communiquer sa nouvelle adresse.   *4 points*

a. ☐   b. ☐   c. ☐

d. ☐   e. ☐   f. ☐

3. À qui Françoise doit-elle écrire ?   *3 points*

– ....

– ....

– ....

4. Où Françoise doit-elle aller pour demander le suivi du courrier à sa nouvelle adresse ?

1 point

– ....

ÉPREUVE DE COMPRÉHENSION DES ÉCRITS *25 points*

Vous devez prendre connaissance de quatre documents écrits :
– lisez tout d'abord les questions avant de lire les documents écrits.
– lisez ensuite les documents proposés.
– enfin, répondez aux questions.

Exercice 1 Vous désirez vous inscrire à un cours de français dans une école de langues. Lisez tout d'abord quelques extraits du règlement de l'école.

5 points
1 point par bonne réponse

a. Tout étudiant de moins de 18 ans (âge légal de la majorité en France) doit joindre à son formulaire d'inscription une autorisation parentale.

c. L'école décline toute responsabilité en cas de perte ou de vol des effets personnels des étudiants.

b. Le paiement complet doit être effectué avant le début des cours.

d. En cas d'annulation d'inscription avant le début des cours, l'école ne rembourse pas les frais d'inscription (50 €).

e. Tout étudiant arrivant avec plus de 15 min de retard ne sera pas accepté en cours.

À quels paragraphes correspondent les phrases suivantes ? Indiquez la lettre correspondante dans le tableau.

1. L'école conservera une partie du paiement si l'inscription est annulée avant le premier cours.	
2. Il faut payer la totalité des cours pour pouvoir y assister.	
3. L'école contrôle la ponctualité et l'assiduité de ses étudiants.	
4. Si l'étudiant n'est pas majeur, il doit fournir un courrier des parents.	
5. Si l'étudiant perd quelque chose, l'école ne sera pas responsable.	

Exercice 2) Vous travaillez dans une agence de voyages. Voici des extraits de courriels de vos clients. Lisez-les et inscrivez, dans l'encadré, le numéro du voyage qui correspond à chaque courriel.

6 points

1 point par bonne réponse

1.　　　　2.　　　　3.　　　　4.　　　　5.　　　　6.

a. De : valeriedafelu@aol.com

Pourriez-vous nous envoyer la brochure de vos séjours linguistiques ?
Nous souhaiterions en effet envoyer cet été notre fils de 12 ans en
Angleterre pour qu'il puisse améliorer son anglais...

Voyage
n° ......

b. De : cecilecher@yahoo.com

Nous sommes un groupe d'amis et nous aimerions partir aux sports
d'hiver dans les Alpes du 8 au 15 février. Auriez-vous...

Voyage
n° ......

c. De : pascalou@wanadoo.fr

Nous ne sommes pas du tout satisfaits de notre séjour ! En effet,
vous nous aviez promis de nombreuses visites alors qu'un musée
sur trois était fermé. En plus, les guides des expositions n'étaient pas
compétents. C'est pourquoi...

Voyage
n° ......

d. De : marie18@hotmail.com

Adepte de la randonnée, j'aimerais savoir si vous organisez
des séjours en montagne pendant l'été...

Voyage
n° ......

e. De : françoiscare@yahoo.fr

Je tenais donc à remercier toute votre équipe car nous avons passé
de superbes vacances sur cette île de rêve ! Le soleil était omniprésent
et les plages splendides !

Voyage
n° ......

f. De : julie_nelcar@free.fr

Suite à votre publicité parue dans le magazine *Évasion* concernant
votre séjour « Aventures mayas », j'aurais voulu obtenir plus de
renseignements car mon mari et moi sommes passionnés par
les pyramides précolombiennes...

Voyage
n° ......

Exercice 3   Vous lisez cet article dans un magazine.

7 points
1 point par bonne réponse

VOUS AVEZ LA PAROLE...

Coup de foudre dans le TGV

« *Le vendredi 25 mai 2007, je rentrais chez moi à Genève après une semaine de vacances à Lyon. Il était 13h00, j'ai composté mon billet et je suis monté dans le TGV 7356. Je suis allé m'asseoir à ma place (n°65). Tu étais assise en face de moi dans ce train, tu venais d'Avignon. Ce soir encore je pense à toi... je ne connais pas ton prénom, mais je n'arrive pas à oublier ton sourire. On ne s'est presque rien dit et pourtant j'ai déjà l'impression de te connaître.*

J'écris donc dans ce journal en espérant que tu te reconnaîtras, que tu te rappelleras de moi. Je suis brun aux yeux verts. Je portais ce jour-là un pull orange et un blouson de cuir noir. Si tu désires me rencontrer, tu peux m'écrire à ce courriel florentcherchejf@yahoo.fr ».

Florent

---

1. Dans quelle rubrique peut-on lire ce document ?   *1 point*

a. ❑ fait divers

b. ❑ courrier des lecteurs

c. ❑ célébrités

2. Florent a pris le train pour aller de :   *1 point*

❑ Genève   ❑ Lyon.

❑ Avignon   à   ❑ Genève.

❑ Lyon   ❑ Avignon.

3. Dites si ces affirmations sont vraies ou fausses. Justifiez votre réponse en citant le texte.   *5 points*

	Vrai	Faux
a. Florent et la jeune fille se sont rencontrés car ils étaient assis l'un à côté de l'autre. Justifiez :		
b. Florent a oublié le prénom de la jeune fille. Justifiez :		
c. Florent a très peu discuté avec la jeune fille. Justifiez :		
d. Il espère que les lecteurs du magazine l'aideront à retrouver cette fille. Justifiez :		
e. Il se décrit physiquement pour qu'elle puisse l'identifier. Justifiez :		

Exercice 4   Vous recevez le courrier suivant.
Lisez-le et répondez aux questions.   *7 point*

---

vente-par-correspondance.com

Référence : D/RC/07046

Chère cliente,

Nous avons bien reçu votre courrier du 28 mars 2007 par lequel vous nous informiez de votre mécontentement.

Votre commande XZ32447 du 9 février (concernant la vente des produits de beauté Marybello) vous a été livrée avec un mois de retard et nous le regrettons vivement. En effet, suite à la grève nationale des transporteurs, il a été impossible de vous livrer dans les délais prévus.

Nous sommes désolés de ce contretemps fâcheux et nous vous prions de bien vouloir nous en excuser. Nous avons donc le plaisir de vous offrir un bon d'achat de 15 euros valable sur votre prochaine commande.

Nous vous prions de croire, chère cliente, à l'assurance de nos sentiments les meilleurs.

Anthony DUHAMEL
Service client

www.ventes-par-correspondance.com

---

1. Il s'agit d'un courrier de réponse à :   *1 poir*

a. ❏ une demande d'informations.

b. ❏ une lettre de réclamation.

c. ❏ une lettre de motivation.

2. Le 9 février vous aviez commandé :   *1 poir*

a. ❏ des vêtements.

b. ❏ des bijoux.

c. ❏ des cosmétiques.

3. Quelle est la raison de votre mécontentement ?   *2 poin*

....

4. Quelle est la raison évoquée par ventes-par-correspondance.com pour expliquer le problème ?   *2 points*

....

5. ventes-par-correspondance.com propose de :   *1 poir*

a. ❏ vous rembourser votre dernier achat.

b. ❏ vous offrir une réduction sur votre prochaine commande.

c. ❏ vous rembourser de 15 euros votre commande précédente.